Ma Licorne magique

Titre original : *My Secret Unicorn*
Rising Star

Created by Working Partners Ltd, London W6 OQT

First published by Penguin Group, England, in 2006.

Cet ouvrage a été réalisé par les Éditions Milan
avec la collaboration de Cécile Benoist et Claire Debout.
Maquette: Petits Papiers (intérieur)
et Catherine Duguet (couverture)

300, rue Léon-Joulin,
31101 Toulouse Cedex 9, France
www.editionsmilan.com
Loi 49-956 du 16 juillet 1949 sur les publications
destinées à la jeunesse.
Dépôt légal : 3e trimestre 2007
ISBN : 978-2-7459-2218-2

Achevé d'imprimer en Espagne par Novoprint

Linda Chapman

L'apprentie licorne

traduit de l'anglais
par Élise Poquet

À Victoria Holmes,
la reine des bonnes idées.
Pour avoir su m'écouter, me renvoyer
la balle, et pour m'avoir empêchée de jeter
mon ordinateur par la fenêtre !

Chapitre 1

Le soleil se couchait derrière les montagnes. Dans les bois jouxtant les écuries du Verger, Lorène Lepage et sa licorne Étoile contemplaient l'enclos. Quatre poneys pâturaient paisiblement tandis qu'un cinquième, au pelage gris foncé et à la crinière soyeuse, trottait autour d'eux. Le poulain, Cassis, appartenait à Estelle Deschamp, dont la mère était propriétaire du centre équestre. C'était une amie de Lorène.

Cassis hennit avec enthousiasme, et les poneys levèrent aussitôt la tête. Il s'ébroua et frappa le sol du sabot, comme pour les appeler. Pourtant, ils se remirent à brouter l'herbe à leurs pieds.

« Dommage, se dit la fillette. Il a tellement envie de jouer... Mais nous ne sommes pas venues ici pour le regarder s'amuser. Il y a si longtemps qu'on attend ce moment... »

Étoile et elle avaient fait la connaissance de Cassis un an auparavant, peu après sa naissance. Depuis ce jour-là, elles se demandaient si le poulain n'était pas une licorne.

– Tu crois que nous aurons notre réponse ce soir ? murmura la fillette.

– Oui, acquiesça la créature à la corne d'argent scintillante.

Elle ne bougeait pas les lèvres, mais sa maîtresse entendait distinctement sa voix dans sa tête. La plupart du temps, Étoile avait l'apparence d'un simple poney gris, mais elle possédait un secret : elle se changeait en licorne dès que Lorène prononçait la formule magique. Celle-ci espérait de tout cœur que Cassis puisse également se transformer.

– S'il s'agit réellement d'une licorne, poursuivit Étoile, un membre du Conseil des sages viendra voir Cassis ce soir. Les licornes qui naissent sur terre reçoivent toujours la visite d'une sage la nuit de leur premier anniversaire. Elles apprennent ainsi qui elles sont réellement…

Lorène savait que la plupart des licornes venaient du merveilleux pays d'Arcadie. Le Conseil des sages observait à travers un miroir magique les créatures qui vivaient parmi les humains sous l'aspect de petits poneys. Chacune d'elles devait trouver l'enfant qui deviendrait son Ami pour la vie. Et puis, une fois transformée, elle s'employait, avec lui, à aider les autres.

– Est-ce que Cassis se changera en licorne ce soir ? voulut savoir Lorène.

– Non, répondit Étoile. Il faut d'abord qu'il rencontre la personne qui deviendra son Amie secrète. Celle qui prononcera la formule pour sa toute première transformation.

Soudain, sa corne commença à scintiller, comme à chaque fois que ses pouvoirs étaient en action.

– Il y a quelqu'un qui vient ! dit-elle, alertée par son audition hyper sensible. J'entends des pas.

Elle se mit aussitôt à l'écart, sous les arbres. Lorène la suivit.

– C'est Estelle, chuchota-t-elle, tandis qu'une fille grande et rousse courait vers l'enclos.

En arrivant à la barrière, elle s'accouda et appela Cassis.

Ce dernier trotta vers elle et hennit joyeusement.

– Salut mon beau ! s'exclama-t-elle, en lui tendant une carotte qu'elle sortit de sa poche. Je voulais juste te voir avant d'aller au lit. Je ne peux pas croire que c'est déjà ton premier anniversaire ! Dans deux ans, je pourrai te monter. Comme on va s'amuser tous les deux !

Le poney posa ses naseaux sur son visage.

– Je t'aime, murmura Estelle. Bonne nuit !

Elle l'embrassa sur le front. Il poussa un hennissement tandis qu'elle s'éloignait.

Elle se retourna et lui fit signe de la main.

– Bon anniversaire, mon beau ! lança-t-elle en partant.

« Ce serait génial si Cassis était une licorne, et si Estelle devenait son Amie, songea Lorène, en la suivant des yeux. Nous pourrions voler dans les airs et nous amuser ensemble. »

Raphaël, son camarade qui vivait en ville et chevauchait une licorne nommée Lune, et Mme Fontana, qui en avait possédé une autrefois, étaient les seuls à connaître la véritable nature d'Étoile. La libraire avait convaincu Lorène de l'existence de ces fabuleuses créatures en lui offrant un vieux livre contenant la formule magique.

– Pourvu qu'il s'agisse d'une licorne, dit Lorène, en posant sa joue contre l'encolure d'Étoile.

L'animal acquiesça.

Le ciel s'assombrit. Comme Lorène commençait à avoir mal aux jambes à force d'être debout, elle s'assit sur une souche d'arbre. Elle se demanda combien de temps elles allaient devoir patienter…

Étoile appuya ses naseaux sur l'épaule de la fillette. Elles contemplèrent toutes deux les poneys qui s'apprêtaient à dormir.

Après quelques bâillements, l'enfant sentit que la licorne redressait brusquement la tête.

– Regarde ! s'exclama Étoile.

Lorène leva les yeux et aperçut une forme blanche volant dans le ciel obscur.

– Une sage ! murmura-t-elle tandis qu'une magnifique créature galopait vers l'enclos.

La licorne entama la descente. Les quatre poneys, surpris, lancèrent un cri et s'écartèrent avec crainte. Mais Cassis demeura immobile et l'observa de ses grands yeux.

Elle atterrit sur le sol, avec un mouvement de tête majestueux. Puis, tendant l'encolure, elle se dirigea vers lui.

– C'est Sidra, chuchota Étoile, qui l'avait rencontrée quelques mois auparavant.

La licorne d'argent poussa un hennissement à l'attention de Cassis.

Le cœur battant, Lorène regarda le jeune poney qui s'approchait sans hésiter. Elle se sentit fière de lui.

Les deux animaux se retrouvèrent au milieu du champ. Sidra effleura le nez du poulain et souffla gentiment sur ses naseaux.

Ce dernier secoua sa crinière, tout excité.

– Elle vient de lui annoncer qu'il est une licorne ! chuchota Étoile.

Cassis virevolta sur l'herbe. Il entama un petit galop et s'arrêta en lançant un cri qui signifiait : « Regardez-moi ! »

Lorsque les autres poneys se tournèrent vers lui, il se cabra et frappa l'air de ses petits sabots.

Les yeux sombres de Sidra s'éclairèrent d'une lueur amusée. Elle redressa la tête et secoua sa longue crinière argentée. Cassis voulut aussitôt l'imiter. Mais comme ses poils blancs et noirs étaient courts et emmêlés… son geste n'eut pas l'effet escompté !

Sidra traversa rapidement le champ et s'éleva sans effort dans les airs. Au-dessous d'elle, Cassis galopa sur l'herbe, jusqu'à la barrière. Il piaffa avec impatience. Il n'avait qu'une envie : s'envoler.

La créature fabuleuse tourna encore une fois au-dessus de l'enclos avant de disparaître dans le ciel étoilé.

Lorène embrassa Étoile.

– Cassis est une licorne ! s'exclama-t-elle. J'espère qu'Estelle sera son Amie secrète !

– Moi aussi, répondit Étoile. Si seulement nous pouvions lui donner la formule magique…

– C'est impossible, lui rappela Lorène. Les Amis des licornes doivent croire suffisamment au merveilleux pour l'essayer eux-mêmes. Si nous révélons à Estelle la véritable nature de Cassis, la magie ne fonctionnera pas.

– Je sais, déclara Étoile, mais ça ne nous empêche pas de l'aider, non ? Nous avons le droit de lui en parler un peu, même si nous devons taire la vérité.

Lorène acquiesça en repensant à Mme Fontana qui lui avait donné un très beau livre sur la vie des licornes alors qu'elle venait juste d'acquérir Étoile.

– Nous ferons tout ce que nous pourrons, promit-elle. Viens, il est temps de rentrer.

Elle monta sur le dos d'Étoile, et elles s'élevèrent dans les airs.

– Plus vite ! demanda-t-elle, les cheveux fouettés par le vent.

L'animal fonça dans le ciel étoilé. Agrippée à sa longue crinière, Lorène se mit à rire. Il n'y avait rien de mieux au monde que de posséder une licorne secrète, une licorne rien qu'à elle !

Chapitre 2

Le lendemain matin, Lorène se réveilla tout excitée. Elle resta un moment sous les couvertures, et s'efforça de comprendre ce qui l'agitait ainsi. C'était le premier jour des vacances. Mais elle avait le sentiment qu'il y avait aussi autre chose...

– Cassis, bien sûr ! murmura-t-elle, se rappelant soudain la soirée de la veille. C'est une licorne, et nous allons aider Estelle à devenir son Amie secrète !

Ravie, elle sauta du lit et ouvrit les rideaux. De sa fenêtre, elle voyait l'enclos d'Étoile. Le poney l'attendait près de la barrière. Ni le ciel gris, ni le petit crachin qui tombait sur la ferme n'auraient pu entamer la joie de la fillette.

– Cassis est une licorne ! se répétait-elle.

Elle enfila rapidement ses vêtements et dévala l'escalier.

Dans la cuisine, sa mère était occupée à préparer le petit déjeuner.

– Tu as l'air de bonne humeur, remarqua-t-elle, tandis qu'elle sortait les bols du placard.

– Je suis en pleine forme ! sourit Lorène.

Buddy, le chien de son frère, bondit vers elle pour la saluer. Il se tortilla contre ses jambes, manquant la renverser. Puis il se laissa tomber sur ses pieds – ce qui était sa façon préférée de dire bonjour aux membres de la famille et à leurs amis.

– Buddy ! Tu pèses une tonne ! gronda Lorène.

Le bouvier frappa le sol de sa queue et la regarda avec affection. Lorène se pencha pour le caresser. Même si son maître était Max, elle éprouvait presque autant d'amour pour lui que pour Étoile.

– Alors, qu'est-ce que tu fais aujourd'hui ? interrogea Mme Lepage... Laisse-moi deviner, poursuivit-elle, un sourire aux lèvres. Quel que soit ton programme, tu as sûrement prévu de passer toute la journée avec Étoile. Non ?

– Tu ne te trompes pas de beaucoup, répliqua Lorène, laissant Buddy pour aider sa mère à mettre la table. Lucie et Jessica viennent ici et nous allons aux écuries du Verger pour la fête. Tu te souviens ? Je t'en avais parlé.

Mme Deschamp, la mère d'Estelle, avait invité Lorène et ses deux meilleures amies, Lucie Chaumont et Jessica Breton, à célébrer les cinq ans du centre équestre, en compagnie de leurs poneys. Les Deschamp fêtaient aussi le premier anniversaire de Cassis.

– Ah, oui, répondit Mme Lepage. Je suis sûre que Cassis sera très content d'être le héros de la journée !

Lorène acquiesça. Le poulain adorait en effet qu'on s'occupe de lui.

– Il est tellement mignon, commenta sa mère.

« Si elle savait... », songea la fillette, souriant en elle-même.

Elle s'empressa de déjeuner. Puis elle prit une pomme dans la corbeille de fruits pour Étoile et courut vers l'écurie. Le poney poussa un hennissement enthousiaste en la voyant arriver.

– Oh, Étoile, dit-elle en passant par-dessus la barrière. C'est génial pour Cassis, n'est-ce pas ?

Il acquiesça et se mit à croquer le fruit.

– Je suis très impatiente de le voir, poursuivit sa maîtresse.

Le poney hennit avec entrain, l'arrosant au passage de petits bouts de pomme.

– Merci mon beau ! s'esclaffa Lorène, en essuyant son pantalon.

Elle lui donna sa ration d'avoine puis le pansa.

Lucie et Jessica arrivèrent juste avant midi. Lorène sellait Étoile quand elle entendit le martèlement des sabots sur la route. Elle se retourna et aperçut Lucie, montant Tonnerre, son poney gris pommelé, et Jessica, chevauchant Mango, un jeune palomino plein d'entrain.

– Salut ! lança Lucie, en s'engageant sur le chemin du Clos joli. La fête ne va pas tarder à commencer. Tu es prête, Lorène ?

– Je suis prête, fit cette dernière, en mettant sa bombe.

Elle sauta sur le dos d'Étoile et suivit ses amies. Les écuries du Verger jouxtaient la ferme des Lepage. Le père de Lorène les avait autorisées à passer sur ses terres, à condition de rester à la lisière des champs.

Comme des vaches paissaient dans les deux premiers, les cavalières allèrent d'abord au pas. En arrivant dans le troisième, qui était vide, elles se mirent au trot.

– On fait la course jusqu'à la barrière ! s'écria Lorène.

Étoile bondit en avant, rapidement suivi par Mango et Tonnerre. Ils foncèrent jusqu'à la clôture. Les filles, hilares, s'efforcèrent de retrouver leur souffle et caressèrent les poneys, au pelage constellé de boue. Puis elles les menèrent au pas pour leur laisser le temps de se détendre un peu.

– Regardez ! s'exclama Jessica, en arrivant dans l'allée du centre équestre.

Il y avait foule dans le manège extérieur. Piétons et cavaliers allaient et venaient. On entendait la musique s'échapper des haut-parleurs. Des ballons étaient accrochés aux barrières.

Deux tables couvertes de nappes rouge vif étaient installées au bout de la piste. L'une était garnie de seaux remplis de pommes et de carottes, et l'autre était couverte de sandwichs et de biscuits au sucre glace. Un énorme gâteau en forme de fer à cheval trônait au milieu.

Lorène aperçut Morgane, la meilleure amie d'Estelle, se déplaçant parmi les invités. Elle tenait la longe de Pomme, la belle jument pommelée qui avait donné le jour à Cassis. Lorène jeta un regard autour d'elle, mais ne vit pas le poulain.

– Ah, voilà Estelle, lança Lucie.

La jeune fille posait une pile d'assiettes près du gâteau. Levant la tête, elle remarqua les nouvelles venues et vint les saluer.

– On va se régaler ! glissa Lorène. Mais où est Cassis ?

– Ma mère m'a conseillé de le laisser à l'écurie jusqu'à ce que tout soit prêt, expliqua la jeune fille. Il est particulièrement excité aujourd'hui. À mon avis, il sait qu'on fête son anniversaire. Il a passé la matinée à hennir !

Lorène sourit. Elle savait bien que s'il se comportait ainsi, ce n'était pas uniquement en raison de la fête…

Mme Deschamp, une grande femme aux cheveux blonds, rejoignit le petit groupe.

– Bonjour tout le monde, dit-elle. Estelle, tu veux bien aller chercher ton poney maintenant ?

Celle-ci acquiesça et alla aussitôt vers la grange.

Mme Deschamp se dirigea alors vers une table et saisit un mégaphone.

– Bienvenue à tous ! annonça-t-elle. Comme vous le savez, nous célébrons aujourd'hui nos cinq ans aux écuries du Verger et le premier anniversaire de Cassis.

Elle jeta un coup d'œil en direction de l'écurie et ajouta aussitôt :

– Voici notre invité d'honneur !

Estelle amena le poulain sur la piste. Son pelage gris et ses petits sabots enduits d'onguent étincelaient. Sa queue, noire près du corps mais blanche à l'extrémité, était propre et lisse.

Il approcha de la barrière et poussa un hennissement bruyant en voyant les nombreux visiteurs. Estelle lui flatta l'encolure et murmura quelques mots pour le rassurer. Mais l'animal n'avait nullement besoin de réconfort. Il rejeta la tête en arrière et partit au galop, entraînant sa maîtresse vers les tables.

– Tout doux, mon beau ! s'écria celle-ci.

Cassis s'arrêta pile devant les plateaux et grignota une carotte. Il se mit à croquer à belles dents, en regardant par-dessous une mèche de sa crinière. Il semblait très fier de lui.

Tout le monde éclata de rire.

– Bon anniversaire, Cassis ! lança Mme Deschamp, s'avançant pour le caresser.

– Tu es le plus beau poulain du monde ! affirma Estelle.

– Et le plus coquin, sans aucun doute ! fit remarquer sa mère avant d'ajouter : Servez-vous !

Tandis que les invités se pressaient autour des tables, Estelle et Cassis rejoignirent Lorène, Lucie et Jessica.

– Joyeux anniversaire, Cassis, dit Lucie.

Tout en tenant les rênes de Tonnerre, elle se pencha pour caresser le poulain.

Estelle sourit.

– Je crois qu'il aime bien les fêtes. Pas vrai, mon beau ?

En guise de réponse, ce dernier hocha la tête.

– Ça doit vouloir dire « oui » ! s'esclaffa Lucie.

– Vous allez trouver ça bizarre, intervint Estelle, d'un air un peu gêné. Mais j'ai parfois l'impression qu'il comprend tout ce que je dis.

Les joues rouges, elle s'empressa d'ajouter :

– Je sais que ça semble fou.

Lorène, sentant Étoile la pousser gentiment dans le dos, réprima un sourire.

« Ce n'est pas qu'une impression…, pensa-t-elle. Il comprend tout ! »

– Quelle canaille ! plaisanta Jessica, comme le poulain piaffait sur le sol en hennissant.

– C'est vrai, mais je l'adore, reconnut Estelle.

Lorène, qui ressentait exactement la même chose à propos d'Étoile, était de plus en plus convaincue qu'Estelle possédait les qualités nécessaires pour devenir, elle aussi, une Amie des licornes.

« Nous devons absolument l'aider à découvrir le secret de Cassis », songeait-elle, tout en observant la jeune fille qui étreignait son poney.

En fin d'après-midi, Lorène, Lucie et Jessica se mirent en selle pour rentrer au Clos joli. Elles longèrent l'enclos d'Étoile et dépassèrent une aire de béton, transformée en terrain de skateboard par M. Lepage. Il avait aménagé des rampes, des marches, des tremplins et des rails pour Max.

Ce dernier, âgé de sept ans, s'entraînait avec les Vannier, ses meilleurs amis. Stéphane, qui était dans la même classe que Lorène, avait onze ans. Léo, le plus jeune, avait neuf ans. Leur famille habitait de l'autre côté du bois. Buddy et Buggy, le jeune retriever des Vannier, bondissaient autour d'eux et empêchaient les garçons de bien s'entraîner.

– Regardez-moi ! s'écria Max, à l'adresse des cavalières.

Il poussa sa planche, donna un coup de pied à l'arrière et sauta en l'air, comme si le skate était collé à ses chaussures. Puis il se posa sans difficulté sur le sol et repartit en glissant.

– Super ! s'exclama Lorène.

Stéphane éclata de rire.

– Bravo ! lança-t-il. Essaie ça maintenant, Max.

Il lui montra une autre figure. Lorène eut l'impression qu'elle était identique à la première, à part la position des pieds.

Max hocha la tête et s'exerça.

– Stéphane ! Stéphane ! appela Léo. Regarde !

Il patina vers une caisse en plastique posée sur le sol, et sauta par-dessus.

– C'est bien, Léo, dit son frère, lui jetant un bref coup d'œil.

Il se retourna alors vers son ami. Comme Max avait réussi le nouveau mouvement qu'il venait de lui apprendre, il lança :

– Parfait ! Moi, je n'ai jamais pu faire ça avant mes neuf ans. Tu es un vrai champion, Max !

Le visage rayonnant, ce dernier déclara :

– Passons maintenant aux kickflips.

– D'accord, répliqua Stéphane, en prenant sa planche.

Lucie et Jessica continuèrent leur route. Lorène aperçut Léo, qui se tenait un peu à l'écart, l'air maussade.

– Je trouve que tu as très bien sauté, Léo ! cria-t-elle.

– Merci, lâcha-t-il dans un soupir, avant de poursuivre son entraînement tout seul.

Ni Max ni son frère ne semblèrent remarquer à quel point il était triste. Lorène hésita un moment, se demandant si elle devait leur en parler, mais Lucie l'interpella.

– Jessica et moi, on rentre à la maison, annonça-t-elle.

Lorène rejoignit ses amies au trot. Ses pensées se tournèrent alors vers Estelle. Comment Étoile et elle allaient-ils l'aider à devenir l'Amie secrète de Cassis ?

« Cet après-midi, je transformerai Étoile, décida-t-elle. Nous en parlerons toutes les deux. »

Chapitre 3

– Allons dans notre clairière, chuchota Lorène à l'animal, après le déjeuner.

Étoile hocha la tête. Elle le sella rapidement et ils s'engagèrent dans les bois situés près du Clos joli, en direction d'un lieu connu d'eux seuls. Le poney avançait sur un chemin envahi d'herbes, à moitié caché par les fougères. Ils débouchèrent sur un coin de verdure où le soleil perçait entre les feuilles. Une nuée de papillons jaunes voletaient çà et là, et l'herbe était parsemée de fleurs pourpres en forme d'étoiles. Lorène promena un regard autour d'elle et se sentit comblée de joie.

« Quel plaisir d'être à nouveau ici », songea-t-elle. Elle sauta à terre et prononça la formule magique :

Étoile du soir, étoile du soir,
Toi qui brilles dans le noir
Tout là-haut, dans les cieux,
Exauceras-tu mon vœu ?
Que mon petit cheval égaré
En licorne soit changé !

Il y eut un éclair pourpre et Étoile se transforma en licorne.

La fillette l'étreignit. Elle éprouvait toujours un grand bonheur à retrouver son amie sous son aspect magique, car elles pouvaient ainsi discuter.

– J'aimerais qu'on puisse aider Estelle à apprendre la vérité sur Cassis, dit-elle. Mais si je me mets à parler de licornes, ça risque de lui paraître bizarre.

Après un moment de silence, Étoile intervint :

– Tu te souviens de Raphaël ? Quand nous avons voulu lui faire comprendre que Lune n'était pas un simple poney, tu lui as prêté ton livre des licornes. Il l'a lu, puis il a essayé la formule magique, et l'animal s'est transformé. Et si nous retentions l'expérience ?

– C'est une très bonne idée ! s'exclama Lorène. Demain, j'invite Estelle, et je laisserai le livre bien en vue...

– Parfait ! acquiesça Étoile, ravie.

Sitôt rentrée à la maison, la fillette appela sa camarade et lui demanda si elle voulait bien faire de l'équitation avec elle le lendemain.

– Bien sûr, répliqua Estelle. Pomme a besoin d'exercice. J'arriverai vers 10 heures, si ça te va.

Lorène raccrocha et se retint de ne pas sauter partout tellement elle était contente. Que dirait Estelle en voyant le livre des licornes ?

Le lendemain matin, Lorène se leva de bonne heure et rangea sa chambre. Elle posa l'épais volume intitulé *La Vie d'une licorne* sur son lit, et caressa la vieille reliure de cuir rouge aux caractères dorés.

« Comment est-ce que je pourrais m'arranger pour qu'Estelle vienne dans ma chambre ? se demanda la fillette, tout en descendant l'escalier. En général, quand on est ensemble, on reste toujours dehors avec les poneys. Je dois trouver une bonne raison pour qu'on entre toutes les deux dans la maison. »

Le ciel était gris et plombé de nuages si bas que Lorène pouvait à peine distinguer le sommet des montagnes. Tandis qu'elle et Étoile attendaient à l'écurie, il commença à pleuvoir. Quinze minutes plus tard, Estelle arriva avec Pomme.

– Brr ! lâcha-t-elle en sautant à terre, aspergeant le sol de gouttes de pluie. Je suis trempée jusqu'aux os.

La jument s'ébroua et secoua sa crinière mouillée.

Une idée surgit aussitôt dans l'esprit de Lorène. Elle avait enfin une parfaite excuse pour inviter Estelle à entrer !

– Et si on frictionnait Pomme ? suggéra-t-elle. Après, on la laissera un peu à l'écurie et tu pourras venir te sécher à l'intérieur.

Estelle approuva d'un hochement de tête. Elles se mirent aussitôt à frotter le pelage de l'animal. Puis elles l'installèrent dans un box couvert de paille et étendirent une couverture d'Étoile sur son dos.

– Allons-y ! dit Lorène, comme Pomme mâchonnait le foin du filet accroché au-dessus d'elle.

Elles coururent jusqu'à la maison.

Mme Lepage était à la cuisine.

– Oh, Estelle ! s'exclama-t-elle. Tu es toute mouillée. Enlève vite ta veste. On va te prêter des vêtements de rechange. Tu vas boire quelque chose de chaud et manger un peu.

Dès qu'elle eut enfilé un autre pantalon, essuyé ses cheveux et avalé trois cookies, la jeune fille se sentit beaucoup mieux.

– Je ne peux pas croire qu'il ait recommencé à pleuvoir, dit-elle, en posant sa tasse de chocolat chaud sur la table. J'ai l'impression qu'il pleut sans arrêt depuis des semaines. D'après

Papa, le ruisseau en bas de chez nous risque de déborder si ça continue.

– Inutile de songer à retourner chez toi tant que la pluie ne s'est pas arrêtée, annonça Mme Lepage, contemplant les gouttes d'eau qui formaient comme un rideau sur la vitre. Tu déjeuneras avec nous, et si ça ne s'arrange pas, j'appellerai ta mère pour qu'elle vienne te chercher avec la remorque à chevaux.

– Merci, madame Lepage, fit Estelle.

– Maintenant, je dois me remettre au travail, déclara la mère de Lorène. Vous vous débrouillerez jusqu'à l'heure du repas ?

Auteur de livres pour enfants, elle s'enfermait parfois longtemps dans son bureau.

– Ne t'inquiète pas pour nous, s'empressa de répondre Lorène. On ira en haut. D'accord, Estelle ?

– Oui, répliqua cette dernière.

Lorène s'engagea dans l'escalier la première, le cœur battant.

– J'aime bien ta chambre, commenta son amie, en entrant dans la pièce.

Elle se dirigea vers la fenêtre, flanquée d'une petite banquette et ajouta :

– Génial ! L'enclos d'Étoile est juste en bas.

– Oui, et si je m'assois sur mon lit, je peux le voir quand il pâture, répondit Lorène.

Elle lissa les bords de sa couette pour attirer le regard d'Estelle vers le livre. Mais celle-ci était occupée à examiner les posters sur la porte de l'armoire.

– Moi aussi, je l'ai celui-là, dit-elle en désignant la photo d'un étalon noir.

Comme elle se tournait vers son amie en souriant, ses yeux balayèrent le grand livre à couverture rouge.

– Qu'est-ce que c'est ? demanda-t-elle avec curiosité.

Lorène avala sa salive.

– Oh, j'ai eu ça en cadeau.

– Ça parle de licornes ! s'exclama Estelle, qui avait pris l'ouvrage dans ses mains. Je les adore !

– C'est vrai ? souffla Lorène.

– Oui, s'anima Estelle. Dommage qu'elles n'existent pas pour de vrai !

– Mais elles existent ! déclara Lorène. Enfin, d'après ce que j'ai lu là-dedans…, s'empressa-t-elle de rectifier, devant l'air surpris de son amie. Regarde !

Estelle commença à parcourir les pages et s'arrêta sur l'image d'un petit poney gris foncé, dont la légende indiquait : *Licorne sous sa forme d'animal ordinaire*. Lorène reconnut le passage expliquant comment révéler sa nature magique à une jeune licorne.

– On dirait…, commença Estelle, avant de s'arrêter soudain, l'air gêné. Ça n'a pas d'importance, se dépêcha-t-elle d'ajouter.

Elle s'assit sur le lit et posa l'ouvrage sur ses genoux.

Osant à peine respirer, Lorène observa Estelle qui commençait à lire. Avait-elle remarqué la ressemblance entre le petit poney gris de l'image et Cassis ?

Estelle tourna une page et fronça les sourcils d'un air pensif en voyant le dessin d'une fleur de lune.

– J'ai déjà vu ces fleurs-là, commenta-t-elle.

– C'est vrai ? s'étonna Lorène.

– Oui. Je connais une clairière dans les bois. J'y suis allée plusieurs fois et il y en avait dans l'herbe, répondit Estelle, parcourant rapidement les lignes. D'après ce qui est écrit ici, il s'agit de fleurs de lune. Elles sont indispensables pour le premier rituel de transformation magique.

Elle baissa la voix et leva les yeux vers Lorène.

– Wouah ! lâcha-t-elle, l'air fasciné. Si seulement c'était vrai !

– Je te prête le livre si tu veux, proposa Lorène avec enthousiasme.

– Vraiment ?

Lorène hocha la tête.

– Merci, merci beaucoup ! murmura Estelle, refermant l'ouvrage et le serrant contre elle. Merci mille fois !

Quand vint l'heure du déjeuner, la pluie laissa place à une bruine légère. Après le repas, des rayons de soleil firent une timide percée entre les nuages.

Estelle avait peu parlé à table, mais cela ne gênait pas Lorène. La fillette devinait quelles étaient les pensées qui préoccupaient son amie.

– Je crois que je vais rentrer à la maison maintenant, déclara celle-ci tandis qu'elles débarrassaient. Au cas où il recommencerait à pleuvoir tout à l'heure.

– Comme tu veux, répliqua Lorène.

– À bientôt, lança Estelle, qui avait rangé avec précaution le livre dans son sac à dos. Merci d'avance pour cette lecture, Lorène.

La fillette la suivit des yeux. Au lieu de se diriger vers les champs pour prendre le chemin le plus court, son amie bifurqua vers le sentier forestier.

« Peut-être qu'elle passe par là afin de cueillir des fleurs de lune à la clairière », songea Lorène, pleine d'espoir.

Elle sella Étoile et attendit dix minutes avant de le guider vers les bois. Au détour d'un virage, ils aperçurent Pomme et Estelle sortant du chemin qui menait à l'endroit secret.

Lorène sourit en elle-même. Sa camarade avait-elle cueilli une fleur ? Si tel était le cas, elle allait sûrement essayer la formule magique !

Elle s'engagea à son tour sur le sentier envahi d'herbes. Sitôt arrivée dans la clairière, elle s'empressa de donner à Étoile son apparence de licorne.

– Je crois que notre plan a marché, dit-elle. Tu penses qu'Estelle s'apprête à transformer Cassis en licorne ? Si elle lit attentivement le livre, elle saura que la première fois, il faut prononcer la formule au moment où l'étoile du soir commence à briller.

Étoile frappa le sol du sabot.

– Cassis sera si heureux d'avoir déjà trouvé son Amie des licornes. Et si nous nous servions de mes pouvoirs pour les observer tout à l'heure ?

– Super, ton idée ! s'exclama Lorène avec enthousiasme. J'ai tellement hâte de savoir ce que va faire Estelle.

Chapitre 4

Lorsque Lorène ramena Étoile à l'enclos, les garçons s'entraînaient encore sur leur skateboard. Son frère devait glisser, sauter, puis tourbillonner en l'air pour réussir sa figure.

– Pas mal, Max ! l'encouragea Stéphane. Mets-toi un peu plus au milieu de la planche pour garder l'équilibre, et ça ira !

Lorène chercha Léo des yeux. Il fonçait vers un bloc de deux marches construit par M. Lepage.

– Regardez-moi, les gars ! cria-t-il, en s'élançant du haut du tremplin.

Le saut semblait très difficile mais il se posa avec adresse sur le sol.

– Vous avez vu le ollie que je viens de réussir ? s'exclama-t-il, le visage éclairé d'un grand sourire.

Il n'y eut pas de réponse. Stéphane était bien trop occupé à prodiguer ses conseils ailleurs…

– C'est ça, Max ! dit-il. Maintenant, tu peux accélérer.

– Tu ne m'as même pas regardé ! protesta Léo.

– Je te regarderai tout à l'heure, lâcha Stéphane, lui adressant un vague signe de la main sans quitter son ami des yeux. Tu as vu ? Max a presque réussi cette figure.

Celui-ci remonta sur son skate et essaya de nouveau.

– Génial ! commenta Stéphane. C'est beaucoup mieux. Maintenant, il faut que tu ailles un peu plus vite.

Léo glissa de l'autre côté de la piste, puis sauta par terre et croisa les bras. Il semblait très contrarié.

« Ce doit être difficile pour lui », pensa Lorène, le cœur serré.

Il avait toujours fait de la planche avec Stéphane, et maintenant, ce dernier le délaissait et enseignait de nouvelles figures à Max…

– Salut Léo, dit la fillette, en arrivant à sa hauteur.

– Salut, marmonna le garçon.

– Tu vas faire encore un peu de skate avec Max et Stéphane ? interrogea-t-elle.

Léo secoua la tête.

– J'en ai assez fait pour aujourd'hui, maugréa-t-il, en frappant le sol du pied.

Étoile le poussa gentiment des naseaux.

– Salut mon beau, murmura Léo, en caressant l'encolure du poney.

Lorène savait qu'il aimait les animaux. Et elle avait très envie de lui remonter le moral.

– Je vais desseller Étoile, et après je le panserai, annonça-t-elle. Tu peux m'aider si tu veux.

– D'accord, dit Léo, en haussant les épaules.

Il suivit Étoile et Lorène sur le chemin de l'écurie. Sitôt arrivée, Lorène dessella l'animal et alla chercher le nécessaire de pansage.

– Tu as déjà pansé un poney ? questionna-t-elle.

Léo fit non de la tête.

– Tu as plein de brosses, remarqua-t-il, en observant le contenu de la boîte. Pourquoi est-ce qu'il en faut autant ?

– Parce qu'elles servent toutes à différentes choses, expliqua Lorène. Celle-ci est très souple. Étoile adore ça. Tu veux essayer ?

Léo passa le bouchon sur l'encolure du poney, qui soupira de contentement. Le garçon prit de l'assurance et se calma peu à peu.

– Ça a l'air de lui plaire.

Lorène acquiesça et entreprit de curer les sabots du poney.

Léo frotta le cou de l'animal et démêla sa crinière. Étoile posa ses naseaux sur son épaule.

– J'aime bien m'occuper de lui, glissa l'enfant en souriant.

– Lui aussi, il apprécie, observa Lorène, ravie de le voir plus heureux.

Des voix s'élevèrent. Max et Stéphane s'approchaient du bâtiment, leurs planches sous le bras.

– Léo ! cria Stéphane. Pourquoi tu n'es pas resté faire du skate ?

– Parce que…, grommela le jeune Vannier, le visage soudain renfrogné.

– Il est temps de rentrer chez nous, répliqua son frère, sans remarquer sa déception. Maman nous attend vers 4 heures et demie. À demain, Max !

– On pourra s'entraîner encore au 180 ? demanda ce dernier.

– Bien sûr, répliqua Stéphane avec un grand sourire. Tu seras le meilleur skateur de ta classe quand nous reprendrons l'école.

Le visage de Max rayonnait littéralement.

Léo ramassa son skate.

– Allons-y, lâcha-t-il d'un ton maussade.

Son frère, surpris par sa réaction, répondit :

– D'accord. À plus, Max. Salut Lorène !

– Salut, lança celle-ci.

Elle observa Léo, traînant les pieds dans l'allée.

« Il se sent rejeté, se désola Lorène. Et Stéphane ne s'en est pas aperçu. »

– Est-ce que je peux t'aider à ramener Étoile à l'enclos ? demanda Max, interrompant le cours de ses pensées.

Même s'il ne le chevauchait pas souvent, le garçon éprouvait une grande affection pour le poney.

– Bien sûr, sourit la fillette. Tu peux le monter sans selle pendant que je le mène à la longe, si tu veux. Allons-y !

Au dîner, les Lepage mangèrent de la salade et des pâtes au fromage. Lorène débarrassa la table. Le soleil commençait à descendre et elle savait que l'étoile du soir allait bientôt apparaître. Elle devait donc vite transformer son poney en licorne si elle voulait utiliser les pouvoirs de l'animal pour observer Estelle. Une fois la nuit venue, Étoile et elle ne verraient plus rien…

– Je vais chez les Chaumont, annonça son père, en enfilant sa veste. J'aimerais jeter un œil à leur caméra numérique avant d'en acheter une. Qu'est-ce que tu fais ce soir ? demanda-t-il à sa femme.

– Je dois aider Max pour son exposé, répondit-elle, en se passant la main dans les cheveux. Et après, je me mets au travail. Il faut que je remanie mon dernier chapitre. Lorène, ça ira si je te laisse seule ? Tu peux regarder un DVD si tu veux.

– Tout à l'heure, peut-être, répliqua celle-ci. D'abord, j'ai envie d'aller voir Étoile, si tu es d'accord.

– Encore ! Mais vous avez passé la journée ensemble ! s'exclama Mme Lepage.

– Si ça continue, tu nous demanderas d'installer ton lit dans son enclos ! plaisanta M. Lepage.

– Pourquoi pas ? s'esclaffa Lorène.

– Pas question de te laisser sortir ! la taquina sa mère. Mais bien sûr que tu peux lui rendre une petite visite, à condition de revenir avant la nuit, ajouta-t-elle.

– D'accord, promit Lorène, en laçant ses chaussures.

Mme Lepage monta aussitôt dans la chambre de Max. Son mari s'éloigna au volant de sa voiture. Lorène courut alors rejoindre Étoile.

– C'est bon ! lui dit-elle en passant par-dessus la barrière. Papa est sorti et Maman est occupée.

Sitôt arrivée au bout du champ, elle prononça la formule magique. Étoile retrouva en un instant son aspect de licorne.

– Avec cette pierre, nous pourrons voir Estelle, dit-elle, en effleurant un rocher près des arbres.

La paroi semblait presque noire dans l'obscurité, mais Lorène savait qu'en plein jour ses cristaux de quartz scintillaient de reflets rose et gris. Étoile, grâce à sa magie, s'en servait comme miroir pour observer ce qui se passait n'importe où dans le monde.

Lorène sauta à terre, et l'animal effleura la roche de sa corne, en murmurant :

– Estelle, écuries du Verger.

Un nuage pourpre tourbillonna au-dessus du quartz rose et se dissipa quelques secondes plus tard. Puis la surface de la pierre commença à miroiter. Lorène se pencha et vit apparaître l'image des champs près du centre équestre, un peu comme sur un écran de télévision.

– Voilà l'enclos de Cassis, commenta-t-elle, en voyant les cinq poneys.

Cassis se tenait près de la barrière.

– Mais où est Estelle ? lâcha la fillette, en fronçant les sourcils.

– Elle arrive ! fit Étoile, en montrant de sa corne le chemin qui menait à l'enclos.

La jeune fille se dirigeait vers son poney.

– Elle a le livre ! souffla Lorène.

Le poulain poussa un hennissement. Estelle caressa sa crinière en lui parlant.

Lorène approcha l'oreille de la pierre, pour mieux entendre la voix de son amie. Peu à peu, elle parvint à distinguer ses paroles :

– *Oh ! Cassis ! Pourvu que ça marche !* disait Estelle.

– Elle va essayer la formule ! conclut Lorène, ravie.

– Oui, c'est..., répondit Étoile, s'interrompant soudain. Mais où est-ce qu'elle va ?

Estelle s'avançait maintenant vers le pré voisin, où pâturait Pomme. La jeune fille, qui venait d'escalader la clôture, se dirigeait à grands pas vers la jument grise.

– Qu'est-ce qu'elle fait ? demanda Lorène, tandis que Cassis demeurait de l'autre côté de la barrière, les yeux fixés sur sa maîtresse.

Dans un mélange d'excitation et de nervosité, celle-ci arracha un poil de la crinière de Pomme. Puis elle ouvrit son livre des licornes à la page de la formule magique et leva les yeux vers le ciel, où l'étoile du soir scintillait comme un éclat de diamant. Elle commença à retirer un à un les pétales de la fleur de lune en lisant tout haut :

– *Étoile du soir, étoile du soir,*

Toi qui brilles dans le noir

Tout là-haut, dans les cieux…

– Oh ! Non ! lâcha Lorène, réalisant soudain ce qui se passait. Estelle pense que c'est Pomme la licorne !

– Pomme ?…, répéta Étoile, consternée.

La jeune fille termina la lecture de la formule magique et jeta les derniers pétales par terre.

– *Exauceras-tu mon vœu ?*

Que mon petit cheval égaré

En licorne soit changé !

Il y eut un violent éclair pourpre.

Estelle suffoqua et se frotta les yeux.

Mais quand elle baissa de nouveau les mains, Pomme se dressait devant elle, dans la même position. Et elle n'avait pas changé…

– *Oh !* chuchota Estelle, le visage défait.

Un joyeux hennissement retentit derrière elle.

– Regarde ! murmura Lorène à Étoile.

De l'autre côté de la barrière, là où se trouvait Cassis un instant plus tôt, se dressait une petite licorne blanche, toute fière…

Chapitre 5

– *Cassis !* s'exclama Estelle. *Tu es une licorne !*

– Oh ! Qu'elle est mignonne ! murmura Lorène à Étoile.

Le bébé licorne, au pelage d'un blanc immaculé, avait de longues jambes et des boucles retombant sur le front. Mais contrairement à Étoile, les poils de sa queue et de sa crinière, tout ébouriffés, rebiquaient vers le haut, au lieu de retomber en de longues mèches soyeuses. Lorène remarqua une autre différence.

– Sa corne est dorée !

– La couleur des cornes varie, expliqua Étoile. Or, argent ou bronze... Elles ne sont pas toutes identiques.

Elle s'interrompit un instant, semblant soudain préoccupée.

– Il y a pourtant une chose que je ne comprends pas, avoua-t-elle. Je m'étonne que la formule ait fonctionné : Estelle tenait un poil de Pomme, et non de Cassis.

Lorène hocha la tête.

Réfléchissant à ce qui venait de se passer, elle retraça les mouvements d'Estelle. En arrivant dans le champ, celle-ci avait d'abord caressé son poney, avant de s'approcher de la jument.

– Je crois savoir ! conclut la fillette. À mon avis, quand elle a caressé Cassis, un des crins du poney s'est collé à ses habits. Ensuite, elle a rejoint Pomme.

– Bien sûr ! acquiesça la licorne.

Puis, se penchant vers la pierre magique, elle demanda :

– Est-ce qu'Estelle a l'air contente ?

Lorène regarda la surface du rocher. Estelle était passée de l'autre côté de la barrière. Elle étreignait maintenant l'encolure de Cassis. Lorène inclina la tête pour entendre ce qu'elle disait, puis hésita. Elle se souvint de la première transformation d'Étoile en licorne. Cela avait été l'un des moments les plus parfaits et les plus merveilleux de sa vie. L'un des plus intimes également, puisqu'il n'y avait qu'elle et Étoile... Comment aurait-elle réagi si quelqu'un les avait écoutées ?

– Je pense que nous en avons assez vu pour aujourd'hui, déclara-t-elle, en s'éloignant de la pierre.

Étoile était visiblement du même avis. Elle se redressa et l'image disparut peu à peu de la paroi de quartz.

La fillette soupira de plaisir.

– C'est génial qu'Estelle soit une Amie des licornes, dit-elle.

Elle réfléchit un instant, et remarqua alors :

– Cassis est très jeune. Est-ce qu'elles pourront voler ensemble ?

– Pas encore, répliqua Étoile. Elle ne pourra porter personne sur son dos avant ses trois ans, comme n'importe quel poney. Mais ça n'empêchera pas Estelle de passer de bons moments avec elle.

– Tu as raison, répliqua Lorène en caressant l'animal. Je parie qu'elles s'amuseront beaucoup ensemble.

Cette nuit-là, Lorène rêva d'Estelle et de Cassis. Elle se vit faire de la magie en leur compagnie, et s'éveilla en souriant.

« Ça va être super d'avoir une copine qui possède, elle aussi, une licorne », songea-t-elle, tout en se demandant comment la jeune fille réagirait en apprenant qu'Étoile n'était pas un simple poney…

Le lendemain matin, alors qu'elle débarrassait la table du petit déjeuner, la sonnerie du téléphone retentit.

– Lorène, c'est pour toi, dit son père en lui tendant le combiné. C'est Estelle.

– Salut ! lança son amie, d'un ton excité. Je peux passer chez toi avec Pomme ? Je te rapporterai ton livre. Je crois que je n'en ai plus besoin.

Elle se reprit aussitôt et rectifia :

– Euh... Je voulais dire que j'ai fini de le lire. Est-ce que je peux venir dans une demi-heure ?

– Bien sûr, acquiesça Lorène. À tout à l'heure !

Elle raccrocha le combiné et s'empressa d'aller avertir Étoile, sitôt qu'elle eut nettoyé la table.

– Estelle arrive ! Tu crois qu'elle nous parlera de Cassis ?

L'animal poussa un hennissement enthousiaste. Comme il avait sa forme de poney, sa maîtresse ne pouvait comprendre exactement ce qu'il disait, mais elle devina qu'il était lui aussi impatient d'entendre Estelle.

Une demi-heure plus tard, la jeune fille arriva au Clos joli, montée sur Pomme. Elle sauta à terre et tendit à Lorène l'ouvrage qu'elle portait sous le bras.

– Comment tu l'as trouvé ? demanda la fillette.

– Euh... très intéressant, répondit Estelle d'un ton dégagé.

– J'étais sûre qu'il te plairait, ajouta Lorène innocemment.

Le visage de son amie s'empourpra brusquement.

– Tu savais que ?... Oh, rien ! s'interrompit-elle, d'un air agité. Je ferais mieux d'y aller.

Elle s'apprêta à remonter sur Pomme.

– Ne t'inquiète pas, dit précipitamment Lorène. Je suis au courant.

Estelle se retourna lentement vers elle.

– De quoi ? murmura-t-elle.

– De certaines choses, à propos des licornes.

– Mais comment ? lâcha la jeune fille, surprise.

Lorène lança un coup d'œil à Étoile, qui les observait de l'autre côté de la barrière. Estelle comprit aussitôt...

– Est-ce qu'il est une... ? s'enquit-elle.

– Chut ! intima la fillette.

Les deux amies se regardèrent avec complicité.

– Cassis aussi, souffla Estelle. J'ai essayé la formule hier soir. Ça a marché. Mais Cassis m'a dit que je n'avais pas le droit de le dire à qui que ce soit.

– Sauf aux autres Amis des licornes, la rassura Lorène.

Elle aperçut alors son père qui descendait l'allée.

– Nous ne devrions pas en parler ici, repritelle. Retrouvons-nous ce soir. Étoile et moi, nous volerons jusqu'à l'enclos de Cassis. Attends-nous là-bas.

Estelle écarquilla les yeux.

– Vous allez voler jusque chez moi ?

– Évidemment, répliqua Lorène. Nous faisons des balades dans le ciel presque tous les soirs.

– Wouah ! s'exclama Estelle.

Comme M. Lepage arrivait presque à leur hauteur, Lorène lâcha précipitamment :

– Rendez-vous à 11 heures dans l'enclos de ton poney. Ce sera plus facile pour discuter…

– Entendu, acquiesça Estelle.

Les pas de M. Lepage résonnèrent tout près d'elles.

– Vous avez l'air de comploter quelque chose toutes les deux. Qu'est-ce qui se passe ? demanda-t-il avec curiosité.

– Rien, répliqua Lorène.

– On se mettait d'accord pour notre prochaine promenade, renchérit tout naturellement Estelle avant de monter en selle.

– Salut ! lui lança Lorène en souriant.

Comme la cavalière s'éloignait, M. Lepage se tourna vers sa fille :

– C'est super que tu aies tant d'amies qui partagent ta passion pour l'équitation, remarqua-t-il.

« Et maintenant, j'en ai une avec qui je pourrai aussi faire de la magie, songea la fillette, ravie. Comme j'ai hâte ! »

Chapitre 6

Juste avant 11 heures du soir, Lorène transforma Étoile en licorne. Elles s'élevèrent au-dessus des champs et prirent la direction des écuries du Verger. La fillette rit de plaisir en sentant le vent qui lui fouettait le visage et s'engouffrait dans ses cheveux. Voler dans les airs était pour elle le meilleur des passe-temps !

– Les voilà ! s'écria-t-elle en apercevant Estelle et Cassis qui les attendaient à côté de l'enclos, tandis que les autres poneys somnolaient tranquillement près de la barrière.

Étoile se rapprocha de plus en plus, et poussa un hennissement pour saluer le jeune animal. Surpris, les poneys endormis sursautèrent et levèrent la tête. Cassis hennit à son tour. Estelle, bouche bée, suivit des yeux la licorne qui piquait vers le bosquet. La créature, dont la corne brillait au clair de lune, se posa doucement sur le sol.

– Je suis une licorne, Étoile ! Je suis une licorne ! répéta Cassis.

– Je vois ça ! répondit Étoile, amusée.

– N'ai-je pas belle allure ? hennit Cassis, secouant fièrement sa crinière.

– Je comprends tout ce que dit Cassis, fit remarquer Lorène à Étoile.

– C'est normal, expliqua celle-ci. Ça fait partie de la magie. Nous autres licornes pouvons être comprises par tous les humains qui ont noué des liens secrets avec l'une de nous.

Lorène se laissa glisser du dos de l'animal et marcha vers Estelle, tandis que Cassis et Étoile se frottaient les naseaux.

– Je suis si heureuse que tu sois, toi aussi, une Amie des licornes, lui dit-elle. Tu verras, on pourra faire plein de trucs ensemble.

– J'ai passé la journée à me le répéter, répliqua Estelle, abasourdie. Mais ça me semble encore difficile à croire. Je dois me pincer pour vérifier que je ne suis pas en train de rêver !

Lorène sourit. C'est exactement ce qu'elle avait ressenti elle aussi la première fois qu'elle avait découvert la véritable nature de son poney.

– Salut Lorène, fit Cassis, en mettant sa tête entre les deux filles.

– Salut ! s'esclaffa Lorène. Ta corne est très brillante.

– N'est-ce pas ! répliqua Cassis, ravie du compliment.

– Étoile est magnifique ! dit Estelle, en jetant un œil vers l'animal.

– Et moi, tu me trouves comment ? s'enquit Cassis, en la poussant impatiemment avec ses naseaux. Je suis belle ?

Estelle eut un petit rire et se tourna alors vers la jeune créature.

– Bien sûr !

– Tu es très belle ! renchérit Lorène, qui pensait en réalité que l'adjectif « mignonne » était plus approprié.

La beauté d'Étoile, en revanche, était stupéfiante. La fillette comprit l'étonnement d'Estelle, qui voyait pour la première fois l'animal en licorne. Avec sa robe blanche scintillant au clair de lune, sa majestueuse encolure et sa queue balayant le sol, il paraissait si différent du petit poney qu'elle croyait connaître...

– C'était sensationnel de te voir voler, Étoile, lui fit remarquer Estelle. Tu possèdes une grâce extraordinaire.

– Merci, répondit celle-ci, contente.

– Je parie que je me débrouillerai très bien moi aussi, déclara Cassis.

– Tu as déjà essayé ? s'enquit Lorène.

Cassis fit non de la tête.

– Pourquoi tu n'essaierais pas maintenant ? suggéra Estelle.

– Vas-y ! l'encouragea Étoile.

– D'accord, acquiesça la jeune créature.

Elle se mit à trotter puis s'élança au-dessus du sol.

– Ça marche! haleta-t-elle tandis qu'elle s'élevait dans les airs, les oreilles penchées en avant. Regardez-moi!

Elle galopa de plus en plus vite, puis soudain, ses jambes donnèrent l'impression de se mouvoir dans tous les sens. Elle se mit à vaciller dangereusement.

– Ça va? demanda Lorène, inquiète.

– À l'aide! cria Cassis, fonçant droit dans un arbre, en agitant désespérément les pattes. Comment il faut faire pour tourner?

Étoile bondit aussitôt dans le ciel et la rattrapa rapidement. Elle la bloqua au moyen de son épaule et parvint ainsi à éviter le sapin. Puis, entamant la descente, elle la guida vers les filles.

En se posant sur l'herbe, la petite licorne chancela et faillit cogner ses naseaux contre le sol. Elle secoua la tête et leva les yeux, comme pour montrer que l'atterrissage n'avait pour elle rien d'inhabituel.

– Je vous avais bien dit que je réussirais ! claironna-t-elle gaiement.

Lorène et Estelle se regardèrent d'un air entendu.

– Très bien, fit celle-ci d'un ton prudent. Peut-être que…

– Tu as sans doute besoin de t'entraîner un peu plus, termina Lorène avec tact.

– Oh ! lâcha Cassis, qui semblait déçue de ne pas les avoir impressionnées davantage.

– Tu feras rapidement des progrès, promit Étoile. Moi aussi, au début, je n'étais pas très stable.

– Et maintenant, tu voles très bien, commenta Estelle d'un ton admiratif. Tu peux me faire une petite démonstration ?

– Bien sûr, répondit la licorne. Tu viens, Lorène ?

La fillette grimpa sur son dos, tout chaud, et elles s'élancèrent dans les airs. L'animal décrivit un cercle, sauta d'un arbre à l'autre, et fit un looping avant de descendre en piqué et de se poser juste devant Estelle.

– Génial ! s'exclama cette dernière. J'aimerais bien savoir ce qu'on ressent quand on vole.

Lorène, sur le point de lui proposer de monter Étoile, se ravisa soudain.

« Étoile m'appartient, songea-t-elle. Je ne laisserai personne voler avec elle. »

Elle s'en voulut aussitôt pour ce manque de générosité.

« Ne sois pas si égoïste, se dit-elle. Tu devrais partager ton animal. Estelle serait ravie de l'expérience. Demande-lui si ça lui ferait plaisir. »

Mais aucun mot ne sortit de sa bouche…

Elle sentit Étoile remuer sous elle. La licorne s'avança vers Estelle, et chancela, bien qu'il n'y eut rien par terre qui la fasse trébucher. Elle se redressa de nouveau et frappa le sol du sabot.

Lorène se força à parler.

– Et si tu…, commença-t-elle.

Elle dut se passer la langue sur ses lèvres, tant elles étaient sèches. Le fait de prononcer un mot lui semblait épuisant. Comme s'il y avait quelque chose au fond d'elle qui l'empêchait de parler.

– Oui ? l'encouragea Estelle.

Lorène, déployant tous ses efforts, parvint à dire :

– Tu peux...

Avant même de finir sa phrase, elle ressentit comme un vertige. Elle prit une profonde inspiration et agrippa la crinière d'Étoile.

– Que se passe-t-il ? demanda Estelle, inquiète.

– Je ne me sens pas très bien, soupira Lorène.

Elle passa ses bras autour de l'encolure de sa licorne, et se laissa glisser de son dos en s'accrochant pour ne pas tomber. Étoile se tourna et enfouit ses naseaux dans son cou.

– Ça va, Lorène ? demanda-t-elle avec anxiété.

La fillette cligna des paupières.

– Je ne sais pas. Je crois que j'ai eu un étourdissement.

Elle s'assit par terre et se couvrit le visage avec ses mains.

« C'est un peu comme si je venais de descendre d'un manège qui tournait à toute vitesse », pensa-t-elle.

Sentant quelque chose sur ses tempes, elle ouvrit les yeux. Étoile, penchée au-dessus d'elle, lui frottait le front avec sa corne brillante.

Lorène eut aussitôt l'impression qu'on lui retirait un poids. Son esprit s'éclaircit et la sensation de vertige se dissipa.

– Merci, Étoile, dit-elle d'une voix mal assurée. Ça va mieux. Je ne sais pas ce qui m'est arrivé.

– Tu couves peut-être quelque chose, commenta Estelle, d'un air inquiet. Tu veux rentrer chez toi ?

– Non, c'est passé, répondit Lorène en se levant.

– Tu as exercé ta magie sur elle ? demanda Estelle à Étoile.

La licorne opina du chef.

– Super ! souffla Estelle.

– Je pourrais faire ça, moi aussi ? intervint Cassis.

Étoile s'ébroua.

– Sans doute, répondit-elle, une lueur amusée dans le regard. Mais d'abord, tu ferais mieux d'apprendre à voler. Et si tu refaisais un petit essai ? Ça ira mieux cette fois-ci. On y va ?

– Je reste ici, dit Lorène, qui ne voulait pas laisser son amie seule.

– Tu es sûre que ça va ? demanda Étoile.

– Oui, je t'assure, promit la fillette.

Les deux licornes pointèrent droit vers le ciel. Malgré la présence d'Étoile, Cassis flageolait sur ses jambes. Elle semblait incapable de s'arrêter ou de tourner. Il fallait que son aînée l'aiguillonne sans arrêt dans la bonne direction.

– Fais attention ! s'écria Estelle, alors que Cassis s'approchait dangereusement d'un buisson. Tu devrais descendre, maintenant.

Les deux créatures se posèrent finalement sur le sol.

– Ne t'inquiète pas, déclara Étoile à l'apprentie licorne. Bientôt, tu te débrouilleras très bien.

– C'est juste une question d'entraînement, renchérit Lorène.

Cassis les regarda, plein d'espoir.

– On peut se retrouver demain ? demanda Estelle.

– Bien sûr, répliqua Lorène.

Elle monta sur le dos de sa licorne. En s'élevant au-dessus du sol, elle vit sur le visage de son amie une expression mélancolique, et elle eut le cœur noué.

« Ce n'est vraiment pas sympa de ma part, ruminait-elle. J'aurais dû l'inviter à faire un tour sur le dos d'Étoile. »

– Lorène, tu es bien silencieuse, commenta l'animal.

– Je m'en veux, soupira la fillette. Estelle avait envie de voler. Pourquoi je ne le lui ai pas proposé ? Ça lui aurait tellement plu pourtant…, commenta-t-elle, le visage empourpré. J'étais sur le point de lui en parler, puis je me suis sentie mal, et j'ai complètement oublié. Maintenant, j'ai honte de moi.

À sa grande surprise, Étoile laissa elle aussi échapper un soupir.

– Je sais, dit-elle. J'avais deviné qu'elle voulait voler et, au moment d'en parler, mes jambes ont commencé à trembler.

Lorène fronça les sourcils.

– Tu crois qu'il s'agit d'un sortilège ?

– Je ne sais pas, avoua l'animal. Mais c'est bizarre que nous ayons eu la même réaction. Oh, regarde ! Voilà Mme Fontana.

La vieille dame se promenait dans les bois avec son fox-terrier noir et blanc qui bondissait autour d'elle. Elle n'avait pas de lampe, malgré l'obscurité, et avançait d'un bon pas, comme en plein jour.

– Allons lui annoncer la nouvelle à propos de Cassis ! suggéra la fillette.

Chapitre 7

– Madame Fontana ! lança Lorène au moment où Étoile amorçait la descente entre les arbres.

Le visage ridé de la vieille dame s'éclaira d'un grand sourire.

– Bonsoir ! Je pensais justement à vous deux, dit-elle. Je m'attendais plus ou moins à vous voir ce soir.

La licorne se posa sur l'herbe. Walter, le fox-terrier, trottina aussitôt vers elle. Il se dressa sur ses pattes arrière pour lui donner un coup de langue sur les naseaux.

– Que faites-vous si tard dans les bois ? demanda Lorène.

– Je viens promener Walter, répondit la libraire, en serrant son châle jaune moutarde autour de ses épaules. Et aussi faire ma ronde, au cas où il se passerait des choses…

Elle laissa sa phrase en suspens. Puis, une lueur amusée dans ses yeux bleus, elle ajouta :

– … intéressantes.

Lorène devina que Mme Fontana savait exactement comment Étoile et elle avaient employé leur soirée.

– Vous saviez, pour Cassis ? s'exclama-t-elle.

– Et pour Estelle ? ajouta Étoile.

Mme Fontana hocha la tête.

– Eh oui. Je suis ravie pour elles. Estelle vient souvent au magasin, et je suis sûre qu'elle sera une merveilleuse Amie des licornes.

– Mais comment avez-vous su ? s'étonna Lorène.

– Je me fie à mon intuition, dit la libraire, avec un sourire mystérieux.

Puis elle s'empressa de changer de sujet.

– Racontez-moi donc vos dernières aventures.

– On a aidé Estelle à découvrir la véritable nature de Cassis, expliqua la fillette. Maintenant, on va essayer de lui apprendre à voler.

Étoile acquiesça.

– Très bien, intervint Mme Fontana. Mais ne lui révélez surtout pas ses pouvoirs magiques !

Lorène hocha la tête. Cela faisait partie des règles. Une licorne et son Ami secret devaient uniquement s'en remettre à eux-mêmes pour découvrir les possibilités de l'animal. Selon la libraire, c'était un genre d'épreuve permettant d'évaluer leur intelligence et leur bravoure.

Comme Étoile frappait le sol de son sabot, Lorène se rappela soudain la discussion qu'elles avaient eue, juste avant de rencontrer la vieille dame.

– Madame Fontana, il s'est passé quelque chose d'étrange ce soir, expliqua-t-elle. Estelle m'a dit à quel point elle avait envie de voler.

J'allais lui proposer de chevaucher Étoile, mais ça m'a semblé… incorrect, conclut-elle, après avoir cherché ses mots. D'un côté, j'étais très tentée de la laisser partir avec elle, et en même temps, j'hésitais. Au moment de l'inviter à monter sur ma licorne, j'ai eu comme un vertige, et Étoile a perdu l'équilibre. Maintenant, j'ai honte de moi.

– Ne t'inquiète pas, la réconforta Mme Fontana. Tu ne dois pas te sentir coupable. Le lien qui unit une licorne à son Ami humain est très fort, en effet. Grâce à la magie d'Étoile, tu as eu un malaise au moment où tu luttais contre tes véritables sentiments. C'est ce qui t'a empêchée de la prêter à Estelle. Et c'est aussi à cause du sortilège que tu as trébuché, Étoile. Tu ne peux pas gambader dans le ciel avec quelqu'un qui ne t'est pas destiné.

– Oh ! souffla Lorène, qui avait soudain l'impression qu'on lui retirait un fardeau des épaules. Moi qui croyais que j'étais égoïste.

– Une licorne, ça ne se partage pas, Lorène, poursuivit la vieille dame. Tu as montré que tu avais bon cœur en réagissant ainsi face à Estelle qui ne peut pas voler. Mais tu n'as pas à culpabiliser. Ton amie possède sa propre licorne désormais. Elle a vraiment beaucoup de chance.

Une pensée vint à l'esprit de la fillette.

– Pourtant j'ai déjà laissé d'autres personnes chevaucher Étoile, observa-t-elle. Morgane, la fois où elle est tombée de son cheval, et Jessica, lorsqu'elle s'est enfuie. Et ça ne m'a pas du tout gênée.

– C'est parce qu'elles avaient réellement besoin de monter sur son dos, expliqua la libraire. Si la licorne transporte des personnes pour leur porter secours, il n'y a pas de problème. Si c'est simplement pour s'amuser, c'est tout à fait différent.

– Je vois, répondit Lorène.

Étoile huma le bras de sa maîtresse.

– Dommage que Cassis soit si jeune. Estelle devra attendre longtemps avant de découvrir le plaisir de voler dans les airs.

– C'est vrai, convint Mme Fontana. D'un autre côté, elle a eu le privilège de découvrir son secret alors que l'animal est encore tout jeune. Elle aura la joie de le voir grandir. Peu d'Amis des licornes ont eu ce plaisir. Même si Estelle ne peut pas s'envoler pour l'instant, je suis sûre qu'elle et Cassis vont beaucoup s'amuser ensemble.

Walter dévala le sentier et émit un petit jappement. Sa maîtresse répondit d'un hochement de tête. Juste à ce moment-là, Lorène sentit une goutte de pluie sur sa joue.

– Bien, il faut que j'y aille avant d'être trempée, déclara Mme Fontana. À bientôt, vous deux. Continuez à vous occuper de Cassis. Elle pourra bientôt survoler la campagne, j'en suis sûre.

– Au revoir ! lança Lorène, agitant le bras jusqu'à ce que la vieille dame ait disparu dans l'obscurité.

Comme elle grimpait sur le dos d'Étoile, celle-ci lui glissa :

– Je me sens beaucoup mieux maintenant.

– Moi aussi, acquiesça Lorène, empoignant sa crinière tandis qu'elles pointaient vers le ciel. Vite, rentrons à la maison avant l'averse.

Le lendemain matin, Lorène se leva à 7 heures, en pleine forme. De tous les pouvoirs d'Étoile, c'était l'une des choses qu'elle appréciait le plus : elle ne se sentait jamais fatiguée après ses chevauchées nocturnes en compagnie de sa licorne, quelle que soit l'heure à laquelle elles rentraient…

La fillette descendit l'escalier à la hâte. Il n'y avait personne dans la cuisine. Elle enfila sa veste pour sortir. Il pleuvait encore !

Étoile poussa un hennissement en la voyant.

– Allez, mon beau ! lança Lorène en bouclant sa muserolle. C'est l'heure du déjeuner.

Quand il eut mangé toute sa ration d'avoine, elle l'attacha à l'anneau de métal accroché au mur et commença à le panser.

« Je devrais peut-être appeler Lucie et Jessica pour leur demander si elles veulent faire une balade à cheval », se dit la fillette.

Elle jeta un œil au-dessus du portillon de l'écurie. Le ciel demeurait couvert, mais la pluie était bien plus fine maintenant.

« Et si j'allais chez Lucie ? pensa-t-elle. On pourrait nettoyer nos harnais, ou rester dans sa chambre et lire des revues d'équitation. »

Un aboiement retentit à l'extérieur du bâtiment. Comme elle s'avançait vers la porte, elle aperçut Léo, Stéphane et Max qui passaient devant l'écurie, avec leurs planches sous le bras. Ce dernier jeta un jouet à Buddy, qui courut aussitôt pour l'attraper. Le bouvier, tout excité, sauta dans les flaques d'eau en aboyant.

Lorène, contemplant les garçons qui bavardaient gaiement ensemble, éprouva un sentiment de soulagement.

– J'espère qu'aujourd'hui Max et Stéphane ne laisseront pas Léo de côté, glissa-t-elle à Étoile.

Il acquiesça par un hennissement, tandis qu'elle continuait à brosser son pelage.

Une demi-heure plus tard, la robe du poney était propre et lisse. Les poils de sa crinière et de sa queue, soigneusement brossés, semblaient particulièrement soyeux. Pour finir, la fillette enduisit les sabots de l'animal d'un onguent.

– Tu es magnifique, déclara-t-elle.

Jetant un coup d'œil à son pantalon bleu marine couvert de poils, de foin et de poussière, elle ajouta en riant :

– On ne peut pas en dire autant de ta maîtresse !

Elle se dirigea vers la porte et lança :

– Je vais me changer. Après, j'appellerai Lucie pour savoir ce qu'elle fait aujourd'hui. À plus tard !

Étoile s'ébroua et se mit à mâchonner du foin. Alors qu'elle refermait le portillon, Lorène entendit les voix de Max, Stéphane et Léo, criant au loin.

Elle s'avança sur le chemin pour voir ce qu'ils faisaient. Ils se tenaient tous trois debout près d'une caisse en plastique. Max, qui essayait de sauter par-dessus, tomba plusieurs fois. Mais Stéphane n'arrêtait pas de l'encourager pour qu'il recommence.

Léo, quant à lui, s'ennuyait manifestement.

– Je vais faire quelques ollies dans l'escalier, annonça-t-il. Tu viens, Stéphane ?

– Attends ! s'écria ce dernier. Je suis en train d'aider Max… C'est ça ! poursuivit-il à l'adresse de son ami. Vas-y encore ! Tu as presque réussi.

– Viens, Stéphane ! le supplia son frère. Je parie que je peux réussir à sauter au-dessus des quatre marches.

Comme il montrait du doigt l'escalier, son aîné lui lança :

– C'est bien trop dur pour toi !

– Non, pas du tout…, protesta Léo.

– Ne sois pas idiot, répliqua Stéphane, juste au moment où Max parvenait enfin à se poser correctement sur le sol.

– Je parie que je peux y arriver, lâcha Léo, frémissant de rage.

Mais Stéphane, occupé à féliciter Max, ne l'entendit pas.

Le garçonnet tourna les talons et se dirigea d'un pas décidé vers l'escalier, le skate à la main.

– Regardez-moi ! s'écria-t-il, en bondissant sur sa planche.

Stéphane et Max se retournèrent.

– Non ! Léo ! hurla Stéphane, paniqué.

Le jeune garçon l'ignora et se mit à glisser de plus en plus vite.

Le cœur de Lorène fit un bond dans sa poitrine.

Léo n'allait pas commettre cette folie !

– Attends ! cria Stéphane.

Il commença à courir vers son frère, mais c'était trop tard. Léo avait pris son élan ! Il était maintenant dans le vide.

La fillette retint son souffle. L'espace d'un instant, elle eut l'impression qu'il allait garder l'équilibre, mais comme la planche dégringolait sous ses pieds, il battit l'air de ses bras, et le skate se renversa.

Léo s'écrasa sur le sol dans un fracas effrayant.

Chapitre 8

Lorène se précipita vers Léo. Il s'assit, en se tenant le pied. Max et Stéphane accoururent aussitôt.

– Ça va ? demanda ce dernier.

Le garçonnet se mordit les lèvres. Il était très pâle.

– J'ai mal à la cheville !

Son frère s'agenouilla près de lui et posa la main sur sa cheville.

– Aïe ! cria Léo.

Lorène devina qu'il s'empêchait de pleurer.

– Ça fait super mal, lâcha-t-il entre ses dents.

– Tu t'es peut-être cassé quelque chose, reprit Stéphane.

– Je vais prévenir Maman et Papa ! décida Lorène, filant aussitôt vers la maison.

Son père était dans la cuisine, penché sur le mode d'emploi de sa nouvelle caméra numérique. Il leva les yeux vers Lorène, qui entra en trombe dans la pièce.

– Que se passe-t-il ?

– Vite, Papa ! haleta la fillette. Léo est tombé de sa planche.

M. Lepage bondit aussitôt de sa chaise.

– Où est-il ?

– Près des marches, sur le terrain de skate, répondit Lorène. Viens.

Quinze minutes plus tard, Léo était installé sur une chaise dans la cuisine, la jambe posée en hauteur sur un tabouret, la cheville entourée de glace.

Selon M. Lepage, il n'y avait pas de fracture. Il s'agissait d'une vilaine entorse.

– Tu risques d'avoir mal pendant au moins une semaine, annonça-t-il à Léo. Il faudra te passer de ton skate tant que ça n'ira pas mieux.

– Mais c'est les vacances ! protesta l'enfant.

– Et si vous sortiez, vous autres ? suggéra M. Lepage. Stéphane, je vous appellerai dès que votre mère sera là. Léo, je vais allumer la télévision si tu veux, à moins que tu t'y connaisses en caméra numérique.

Il poussa la boîte de l'appareil vers lui.

– C'est une technologie bien trop compliquée pour moi, soupira-t-il. Je n'arrive pas à faire fonctionner cette machine.

– On a la même chez nous, dit Léo, d'un air intéressé. C'est très facile à utiliser.

M. Lepage leva le sourcil.

– Tu peux me dire ce que je fais de travers ? demanda-t-il, en s'asseyant face à lui.

Lorène et les autres quittèrent la pièce.

– Pauvre Léo, fit Max, une fois dehors.

– Il n'a pas de chance, acquiesça Stéphane.

Buddy bondit vers eux avec son jouet dans la gueule et le laissa tomber devant Max.

Celui-ci se baissa aussitôt pour le ramasser et le lança le plus loin possible sur le chemin.

– Va chercher ! s'écria-t-il.

Le bouvier, tout excité, partit à toute vitesse, et Max fila derrière lui.

Lorène adressa un regard à Stéphane et comprit qu'il était encore inquiet au sujet de Léo.

– Ton frère s'en remettra vite, affirma-t-elle.

Son camarade hocha la tête.

– Heureusement qu'il ne s'est pas fait plus de mal, dit-il. Je ne comprends pas pourquoi il a voulu descendre ces marches. C'est vraiment une folie de sa part.

La fillette, qui savait ce qui avait poussé le garçonnet à agir ainsi, répondit d'un ton gêné :

– Hum... Je crois qu'il a essayé de t'impressionner.

Stéphane la regarda d'un air surpris.

– Qu'est-ce que tu veux dire ?

Lorène avala sa salive. Stéphane et elle, même s'ils s'entendaient bien à l'école, n'étaient pas très proches...

– Eh bien, tu as passé beaucoup de temps à aider Max, lâcha-t-elle. À mon avis, Léo s'est senti un peu exclu.

– Mon frère n'a pas besoin d'aide, répliqua Stéphane. Il se débrouille très bien sur un skate.

– Ça doit quand même être difficile pour lui de te voir accorder tant d'attention à Max, insista la fillette.

– À vrai dire, il s'est comporté de façon un peu bizarre cette semaine, convint Stéphane. Je vais m'occuper un peu plus de lui à partir de maintenant. Mais je ne vois pas comment nous allons nous y prendre s'il ne peut pas skater.

Puis, se passant la main dans les cheveux, il ajouta :

– Je vais en parler à Max cet après-midi. Nous trouverons bien un moyen…

– Bonne chance ! dit Lorène.

Stéphane lui adressa un petit sourire.

– Merci de m'avoir prévenu, pour Léo.

– De rien, conclut Lorène en souriant. À bientôt !

Elle marcha à grands pas vers l'enclos d'Étoile.

« Je suis très contente que Stéphane soit au courant pour son frère, se réjouit-elle alors qu'elle enlevait le verrou de la porte. Et maintenant, j'espère que nous pourrons aider Cassis à voler. »

Estelle appela un peu plus tard dans l'après-midi.

– Tu es toujours d'accord pour qu'on se retrouve ce soir ? chuchota-t-elle.

– Oui, bien sûr, répondit Lorène.

– Tu ne penses pas qu'on devrait se rencontrer ailleurs que dans l'enclos ? souffla Estelle. J'ai peur que ma mère vienne jeter un œil sur les poneys… Imagine un peu si elle les voyait transformés en licornes !

– On ne peut pas courir ce risque, s'inquiéta aussitôt Lorène. Il n'y aurait pas un autre endroit ? Un peu plus loin, peut-être ?

– Il y a une île au milieu de la rivière, près de l'enclos de Cassis, suggéra son amie. C'est très boisé, et bien caché.

– Génial, fit Lorène. On se donne rendez-vous là-bas.

– D'accord, répliqua Estelle. À 11 heures, comme hier.

Quelques minutes avant le rendez-vous, Lorène sortit discrètement de la maison et transforma Étoile en licorne.

– Tu connais l'île à proximité des écuries du Verger ? lui demanda-t-elle en montant sur son dos.

– Oui, déclara la licorne. Je l'ai remarquée au cours de nos escapades dans le ciel. Viens, je t'emmène.

Elles survolèrent les champs et les bois situés près du Clos joli.

– La voilà ! annonça Étoile, pointant sa corne vers la rivière prête à déborder.

Lorène aperçut un étroit morceau de terre au milieu de l'eau. C'était le lieu idéal pour les filles et leurs licornes. Une passerelle de bois assez basse permettait d'accéder à l'îlot et de repartir ensuite sur l'autre rive.

Étoile hennit et Lorène vit Estelle menant Cassis dans le bosquet.

– Salut ! leur cria-t-elle.

Cassis répondit à son tour par un hennissement et sa maîtresse agita la main.

Comme Étoile amorçait la descente, Estelle s'engagea sur la passerelle avec Cassis. Elle bougeait un peu, et le courant était fort, mais la jeune licorne n'eut pas un instant d'hésitation. Elle s'avança courageusement, faisant résonner ses sabots sur les marches de bois.

– Bonsoir, Étoile, lança-t-elle avec enthousiasme en rejoignant son aînée. Aujourd'hui, je vais réussir à voler.

– Je n'en doute pas, répondit celle-ci, en la humant.

Cassis semblait très contente.

– On y va ? dit-elle.

Étoile acquiesça et Cassis galopa aussitôt dans les airs, avec plus d'équilibre que la veille.

– Regardez-moi ! s'écria-t-elle, gagnant de la vitesse et dépassant Étoile à vive allure.

– Ne va pas trop vite ! l'avertit Estelle.

– Ralentis, renchérit Étoile. N'oublie pas que tu n'as pas fini ton apprentissage !

– Ça va ! déclara la jeune licorne. Estelle ! Tu as vu ça ?

Elle commença à faire un looping, mais perdit rapidement le contrôle de ses mouvements.

– Wouah ! lâcha-t-elle, paniquée.

– Cassis ! hurla Estelle, au moment où Cassis plongeait la tête la première dans un buisson d'épines.

Les deux filles se précipitèrent aussitôt vers la jeune licorne.

– Tu n'as rien ? lui demanda sa maîtresse d'une voix anxieuse.

Cassis s'efforça tant bien que mal de sortir des broussailles. Mais de longues branches pleines d'épines s'étaient accrochées à sa crinière et sa queue, ainsi qu'autour de ses sabots et ses jambes.

– Aïe ! s'écria-t-elle, en secouant la tête. Ça me pique partout !

Lorène, constatant qu'elle n'était pas sérieusement blessée, éprouva un vif soulagement.

– Ne bouge pas ! commanda-t-elle. Étoile va te sortir de là.

Sa licorne venait justement de les rejoindre. Elle atterrit sur l'herbe et effleura les ronces avec sa corne d'argent. Un nuage de fumée pourpre apparut alors, et les branches qui enserraient les membres de Cassis se décollèrent peu à peu.

– Génial ! souffla Estelle.

– Étoile utilise un de ses pouvoirs magiques, expliqua Lorène, très fière de l'animal.

– Tu es vraiment douée, Étoile, remarqua Estelle d'un ton admiratif.

Dès qu'elle sentit tomber les dernières branches, Cassis se dégagea du buisson. Il lui restait encore des feuilles et des épines dans les poils, et sa crinière semblait plus hirsute que jamais.

– Oh, Cassis, commenta sa maîtresse. Tu devrais éviter ce genre de cabrioles.

La créature baissa la tête.

– Je pensais y arriver, murmura-t-elle.

– Tu es trop jeune, soupira Estelle. Peut-être qu'il vaut mieux attendre encore un peu avant de recommencer à voler.

– Tu penses que je n'en suis pas capable ? interrogea la licorne, consternée.

Estelle hésita avant de répondre. Lorène devina que la jeune fille ne voulait pas vexer l'animal.

– Sans doute que tu devrais patienter un petit moment avant de reprendre les essais, reprit son amie.

Puis, comme la jeune licorne semblait découragée, elle s'empressa d'ajouter :

– Ne t'inquiète pas. Tu as le temps ! Contrairement à Étoile, tu n'as pas encore fini de grandir.

– Tu penses qu'elle est bien meilleure que moi, non ? murmura Cassis, la gorge serrée.

– Pas du tout…, commença Estelle.

Étoile enfouit ses naseaux dans son encolure.

– Allez ! intima-t-elle. Essayons de nouveau. Cette fois, on ira moins vite.

Cassis eut un moment d'hésitation, puis acquiesça.

– Suis-moi, commanda Étoile, en s'élevant dans les airs.

La petite licorne décolla du sol. Hélas, après avoir atteint deux mètres de hauteur, elle recommença à tomber…

– Continue ! lança Étoile par-dessus son épaule.

– Je ne peux pas aller plus haut, s'exclama Cassis.

Ses jambes galopaient frénétiquement mais elle se rapprochait de plus en plus de la terre ferme. Elle finit par se poser.

– Je n'arrive plus à voler, dit-elle, catastrophée.

– Tu te trompes ! la rassura Lorène.

– Mais non, gémit Cassis.

– C'est sans doute la fatigue, fit Estelle, en passant son bras autour d'elle.

– Tu veux bien me redonner mon apparence de poney ? demanda l'animal d'une toute petite voix.

– Bien sûr, répondit Estelle, en caressant sa crinière.

Lorène et Étoile dirent au revoir. Estelle et Cassis traversèrent la passerelle. Lorène sauta sur le dos de sa licorne, et elles s'envolèrent vers le Clos joli.

– C'est bizarre, commenta la fillette. Pourquoi est-ce que Cassis n'a pas réussi à s'envoler ?

– Je ne sais pas, avoua Étoile. C'est la première fois que je vois ça.

Lorène fronça les sourcils.

– Tu penses qu'Estelle a raison ? D'après elle, c'est simplement la fatigue.

– Je ne vois pas pourquoi Cassis serait fatiguée, répliqua la licorne. Elle ne manque pas d'énergie, d'habitude. J'ai l'impression que sa magie ne fonctionnait pas correctement.

Étoile secoua la tête en signe d'incompréhension. Lorène ne pouvait s'empêcher d'être inquiète.

– J'espère que ça ira mieux demain, dit-elle.

– Moi aussi, renchérit la licorne, en s'ébrouant.

Chapitre 9

Lorène dormit mal cette nuit-là. Elle ne parvenait pas à dissiper ses inquiétudes au sujet de Cassis. Il lui semblait tellement bizarre que la jeune licorne n'ait pas pu s'envoler…

« Pourquoi est-ce que ses pouvoirs n'ont pas marché ? s'interrogea-t-elle. Qu'est-ce qui lui arrive ? J'espère qu'elle n'a pas de problème. »

Lorsque Lucie appela après le déjeuner, la fillette était toujours aussi préoccupée par le sort de l'animal.

– Et si on allait aux écuries du Verger ? proposa son amie. Jessica n'est pas libre, mais moi, je peux venir. On pourrait rendre visite à Estelle. Au retour, si on passe par les bois, on fera sauter les poneys par-dessus des rondins.

– D'accord, acquiesça Lorène, qui adorait le saut en forêt. On se retrouve dans une demi-heure.

Elle partit seller Étoile. Quand son amie arriva, il était prêt. Les cavalières s'engagèrent sur le chemin et passèrent devant Léo, Max et Stéphane. Ces deux derniers s'entraînaient à passer par-dessus un rail avec leurs planches, tandis que Léo, qui avait un bandage à la cheville, les filmait avec la nouvelle caméra de M. Lepage.

– Tu me filmes pendant que je saute ! le supplia Max.

– Et moi après, cria Stéphane.

– Salut ! lança Lorène. Qu'est-ce que vous faites ?

Max et Stéphane s'approchèrent en glissant.

– Une vidéo de skate, expliqua celui-ci.

– Léo est un super-cameraman, renchérit Max.

Un sourire éclaira le visage du garçonnet.

– Comme le médecin m'a interdit de remonter sur la planche pendant deux semaines, Stéphane m'a proposé de réaliser une vidéo pour un magazine de skate. Ils organisent un concours de films.

– Papa a dit que Léo pouvait emprunter la caméra, expliqua Max, à condition de lui apprendre à s'en servir après.

– J'aimerais mieux faire du skate, continua Léo, mais filmer des skateurs, c'est presque aussi marrant que de s'entraîner. Allez, les gars, on continue !

À ces mots, Lorène ressentit une bouffée de joie. Léo n'aurait sûrement plus envie de se mettre en danger pour impressionner son frère…

Elle claqua la langue et Étoile se mit à marcher près de Tonnerre.

– Je crois qu'il va pleuvoir, dit Lucie, en levant les yeux vers les gros nuages gris qui plombaient le ciel. Et si on trottait ?

Les fillettes arrivèrent aux écuries du Verger juste au moment où la pluie commençait à tomber. Lorène était contente d'avoir enfilé sa veste d'équitation imperméable avant de partir.

– Amenez Tonnerre et Étoile dans l'écurie, cria Estelle, s'avançant sur la cour. Il y a un box de libre. Ils peuvent rester là si ça ne les dérange pas de partager le même espace.

Lorène et Lucie installèrent leurs montures dans la stalle disponible et rejoignirent leur camarade à l'entrée du bâtiment.

– Il pleut encore ! soupira-t-elle. J'ai du mal à y croire ! Je ferais mieux de rentrer les poneys.

– Tu veux un coup de main ? proposa Lorène.

La jeune fille accepta. Elles s'engagèrent toutes les trois sur le chemin de l'enclos.

– Morgane est là aujourd'hui ? s'enquit Lucie.

– Non, elle est partie trois jours à un concours hippique, expliqua Estelle. Elle nous a téléphoné hier pour nous annoncer que Beauté venait de gagner une épreuve. Elle était très contente.

Le trio discuta de la manifestation équestre pendant tout le trajet. La pluie était plus dense maintenant, et les poneys étaient tous à la barrière.

– Je prends Cassis et Tempête, annonça Estelle, en tendant les rênes à Lorène et Lucie. Vous pourrez ramener les quatre autres ?

Comme les poneys avaient hâte de se mettre à l'abri, elles les sortirent rapidement de l'enclos.

– Cassis me paraît bien calme, commenta Lucie. C'est parce qu'il pleut ?

Lorène observa le poulain. Il avait la tête basse et donnait l'impression d'avoir perdu son entrain.

– Ce n'est pas seulement à cause du temps, soupira Estelle. Il est comme ça depuis ce matin. Il n'a même pas mangé.

Elle adressa un regard à Lorène. Sitôt entrée à l'écurie, celle-ci resta un instant à ses côtés tandis que Lucie menait Ziggy et Limonade dans leurs box.

– Tu crois que c'est de ne pas pouvoir voler qui le perturbe ? chuchota-t-elle.

Estelle hocha la tête.

– Je suis sûre que c'est ça qui l'embête. Quand je lui ai redonné son apparence de poney, il semblait très abattu.

– Pauvre Cassis ! lâcha Lorène. C'est terrible de le voir ainsi. Et si on se retrouvait ce soir ? On pourrait lui remonter le moral.

– D'accord, répondit Estelle. Au même endroit, à la même heure ?

Lorène acquiesça. Elles conduisirent les poneys à leurs stalles.

La pluie persista plus ou moins tout au long de la journée et se fit plus légère en soirée, à l'heure où Étoile et Lorène survolèrent les bois. La fillette remarqua le niveau de la rivière, anormalement haut. Les flots, agités de remous, charriaient avec eux des feuilles et des brindilles. Des gerbes d'eau s'écrasaient sur les berges de l'île. Estelle et Cassis attendaient un peu à l'écart.

– Salut ! lança la fillette quand Étoile se posa près de la petite licorne.

Seule Estelle répondit. L'animal resta muet.

Étoile le poussa gentiment avec ses naseaux.

– Alors, on fait un petit tour dans le ciel cette nuit ? demanda-t-elle.

– Ça ne me dit rien, marmonna Cassis.

– Allez ! l'encouragea sa maîtresse.

– Tu ne feras pas de progrès si tu ne t'entraînes pas, l'avertit Étoile.

– Et si je n'y arrive pas mieux qu'hier ?

– Je suis sûre que ça ira, assura Lorène. Essaie.

Cassis se mit à trotter, à contrecœur, et prit son élan, mais ses sabots ne décollèrent pas du sol.

– Je ne peux pas ! lâcha-t-elle, en regardant les autres avec désespoir.

– Il faut que tu le fasses, intervint Étoile.

– Impossible, se désola Cassis.

– Mais toutes les licornes sont capables de voler, protesta Lorène.

– Toutes, sauf moi, répondit Cassis, la tête basse.

– Oh, Cassis..., soupira Estelle.

Elle s'approcha pour la caresser, mais la jeune licorne recula aussitôt.

– Je ne sers à rien. Je ne suis pas une vraie licorne. Je suis trop petite et je ne peux rien faire. Je suis sûre que tu aurais préféré avoir un autre animal que moi...

– Tu te trompes ! s'exclama Estelle. Je...

Elle fut interrompue par un bruit sourd. Un peu comme un coup de tonnerre venant des hauteurs.

– Qu'est-ce que c'est ? demanda Étoile.

– Je ne sais pas, répondit Lorène.

Estelle parut effrayée.

– On aurait dit le grondement des eaux dévalant la montagne. Ça doit être à cause de toute cette pluie.

– Je crois que tu as raison, haleta Lorène, alors que la rivière débordait soudain de son lit.

Une vague déferla vers elles, balaya la passerelle et l'ensevelit complètement. Autour de l'île, l'eau, qui montait rapidement, atteignait presque les filles et les licornes.

– Qu'est-ce qu'on va faire maintenant ? paniqua Estelle. Le pont est inondé.

Lorène regarda autour d'elle, mais il n'y avait aucun autre moyen de quitter l'île. Estelle et Cassis étaient coincées.

– Ne vous inquiétez pas, intervint Étoile. Estelle pourra monter sur mon dos et nous volerons jusqu'à l'autre côté.

Sa maîtresse fronça les sourcils.

– Ça peut être dangereux, répliqua-t-elle. Tu ne te souviens pas de ce qui s'est produit il y a deux jours, quand tu as voulu t'envoler avec elle ?

La licorne gratta impatiemment le sol.

– Maintenant, Estelle a besoin de notre aide ! commenta-t-elle. Je suis sûre que ma magie me permettra de le faire.

– Et Cassis ? s'écria Estelle.

– Elle sera obligée de voler, déclara Étoile d'un ton solennel.

– Mais je ne peux pas ! s'inquiéta la jeune créature.

– Si, tu peux, insista son aînée. Tu es une licorne !

Une vague heurta le rivage, trempant les pieds d'Étoile…

Estelle passa ses bras autour de l'encolure de Cassis.

– Tu dois essayer ! la supplia-t-elle. Tu ne peux pas rester ici. L'île va être submergée.

Les sabots avant de l'animal frappèrent le sol.

– Je ne peux pas, gémit la petite licorne, le poitrail éclaboussé.

Chapitre 10

L'herbe était maintenant entièrement recouverte d'eau. On ne distinguait plus un seul endroit au sec sur l'île.

– Il faut qu'on parte ! hurla Lorène, sautant sur le dos d'Étoile. Allez, monte derrière moi, Estelle !

Elle empoigna la jeune fille et la hissa sur sa licorne.

– Viens avec nous, Cassis, supplia sa maîtresse.

Cassis demeura immobile.

– Je t'en prie ! s'écria Estelle.

– Mais je risque de tomber dans la rivière, lâcha l'animal, terrifié.

Lorène se pencha vers Étoile et demanda d'un ton insistant :

– Tu ne peux pas lui donner du courage, comme tu l'avais fait avec Tonnerre quand il avait peur de sauter ?

– Ça ne marchera pas, commenta la licorne qui possédait le pouvoir d'insuffler de la force aux gens et aux poneys en les effleurant de sa corne. Cassis ne manque pas de courage. Il ne tient qu'à elle de le trouver.

Puis, comme l'eau lui arrivait jusqu'aux genoux, elle lâcha d'un ton précipité :

– Vite ! Il faut que je m'envole !

– Cassis ! Vas-y, clamèrent les filles d'une même voix, tandis qu'Étoile pointait vers le ciel.

La petite licorne poussa un hennissement de frayeur et se cabra.

– Cassis ! sanglota Estelle.

La créature essaya de galoper, mais ne parvint pas à décoller du sol. Elle agita désespérément les jambes, puis s'écrasa sur la terre trempée.

– Arrête, Étoile, implora Estelle, le visage ruisselant de larmes. Je ne peux pas laisser Cassis ici ! Ce n'est pas possible !

Sa monture fit aussitôt demi-tour. La jeune fille se mit à hurler :

– J'arrive, Cassis !

Étoile amorça la descente et se posa sur l'île en faisant un grand plouf. Les vagues atteignaient presque le ventre de la petite licorne...

Estelle mit aussitôt pied à terre.

– Essaie encore, je t'en prie ! dit-elle en l'embrassant.

– Je ne peux pas, murmura Cassis, les yeux agrandis d'effroi.

– Mais si, tu peux ! assura la jeune fille. Je sais que tu peux.

– Tu crois vraiment que je suis capable de voler ? lâcha Cassis, ébahie.

– Oui, déclara Estelle, en caressant son front. Tu es ma licorne magique. Tu peux faire un tas de choses.

Cassis la fixa longuement.

– S'il te plaît, encore un petit essai, chuchota Estelle. Rien que pour moi.

– D'accord, dit Cassis, redressant soudain la tête.

– Vite ! s'écria Estelle, au moment où le courant faillit la renverser.

Elle fonça vers Étoile et grimpa derrière Lorène.

– Suis-moi, Cassis, commanda la licorne, galopant dans l'eau.

La jeune créature se précipita derrière elle. Lorène se retourna pour la regarder et remarqua dans ses pupilles un éclat nouveau.

« Ça y est ! Maintenant, elle a vraiment l'air de croire qu'elle peut voler », se réjouit-elle.

Étoile décolla et Cassis bondit dans les airs à son tour. Les deux licornes galopèrent toutes les deux vers les hauteurs.

– Tu voles ! s'exclama Estelle. Tu es vraiment en train de voler !

Cassis s'éleva sans effort dans les cieux. Étoile et elle survolèrent côte à côte la rivière en crue et atteignirent l'autre rive.

Étoile passa entre les arbres et atterrit sur le sol sec.

– Wouah ! C'est génial de voler ! souffla Estelle.

– Je sais, sourit Lorène.

– Regardez-moi ! les apostropha Cassis, tournoyant au-dessus d'elles. Je sais voler !

Elle descendit en piqué puis se mit à gambader au-dessus des arbres, avant de s'arrêter, fièrement dressée sur ses pattes arrière.

Les deux filles, ravies, s'étreignirent, et Étoile, toute joyeuse, s'ébroua.

– Me voilà ! claironna Cassis.

Elle fonça vers la terre et se redressa avant d'arriver au sol. Puis elle claqua habilement des talons en se posant près de sa maîtresse.

– Super, l'atterrissage, commenta cette dernière.

Cassis rejeta la tête en arrière.

– Je suis si heureuse que tu aies réussi à voler, s'exclama Estelle en l'embrassant. Je ne sais pas ce que nous aurions fait si tu avais échoué. Comment tu t'y es prise ?

– C'est grâce à toi, Estelle, répondit Cassis, en la humant. Quand tu m'as dit que j'étais ta licorne, et que tu savais que j'étais capable de voler, je me suis sentie tout d'un coup différente.

Étoile émit un son approbateur.

– C'est parce que tu es son Amie des licornes, expliqua-t-elle. Vous intervenez toutes les deux pour que ses pouvoirs agissent.

– Qu'est-ce que tu veux dire ? demanda Estelle avec curiosité.

– J'ai compris ! s'exclama soudain Lorène. Cassis devait savoir que tu la jugeais capable. Exactement comme pour la formule de transformation des poneys en licornes. Si nous avons des doutes, ça ne marche pas. Une licorne doit être persuadée que son Amie secrète croie en elle pour que la magie opère. Cassis ne réussissait pas à s'envoler parce que tu semblais hésitante.

– Tu as raison, Lorène, reprit Étoile. À partir du moment où Estelle lui a dit qu'elle était trop petite et que ça ne valait pas la peine de continuer, Cassis n'a plus réussi à s'envoler.

La jeune licorne regarda sa maîtresse avec de grands yeux.

– Oh, Cassis, lâcha celle-ci, consternée. Je voulais juste que tu arrêtes un peu. Je ne voulais pas que tu te blesses. Je n'ai pas pensé un seul instant que tu n'étais pas capable de voler.

– C'est pourtant ce que j'ai cru, répondit Cassis, la tête basse. Je me suis imaginé que tu rêvais d'une autre licorne, une vraie licorne comme Étoile, avec plein de pouvoirs.

– Mais pour moi, tu es la meilleure de toutes, s'exclama la jeune fille, en serrant son animal dans ses bras. Je n'ai jamais eu l'idée de te remplacer.

– C'est vrai ? fit Cassis d'un ton inquiet.

– Je t'assure.

– Même si tu dois attendre encore deux ans avant de voler avec moi ?

– Ça n'a aucune importance, répliqua Estelle. J'ai eu beaucoup de plaisir à m'envoler sur le dos d'Étoile, mais le fait que tu sois ma licorne est bien plus important. Nous aurons tout le temps de gambader quand tu seras plus âgée.

Il nous reste beaucoup de choses à apprendre à propos de tes pouvoirs, et de la manière de les utiliser ensemble.

– Oui, ensemble, répéta Cassis avant d'enfouir ses naseaux dans les cheveux de sa maîtresse.

Lorène caressa la crinière d'Étoile. La licorne souffla doucement sur les joues de la fillette.

– Et si on rentrait à la maison ? suggéra-t-elle.

Lorène acquiesça. Elle devinait que son amie avait envie d'être seule avec Cassis avant de retourner aux écuries du Verger. Alors qu'elle s'apprêtait à partir, Estelle se retourna.

– Merci de m'avoir porté secours, Étoile ! s'exclama-t-elle en souriant. Tu es la deuxième meilleure licorne du monde.

Étoile hennit joyeusement, et Cassis eut l'air ravie. Elle frappa le sol du sabot.

– La prochaine fois qu'on se retrouve, on fait une course dans les airs ! lança-t-elle en regardant son aînée d'un air malicieux. Je parie que je peux te battre !

– C'est ce qu'on verra ! la taquina celle-ci.

Elle s'envola aussitôt dans le ciel. Lorène se cramponna à sa crinière.

Estelle et Cassis, bien trop occupées à discuter, n'entendirent pas leur salut. Elles étaient si près l'une de l'autre que leurs têtes se touchaient presque. Lorène eut un sourire. C'est ainsi que cela devait être : une licorne secrète seule avec son Amie.

– Je suis contente qu'Estelle et Cassis soient enfin heureuses, dit-elle. Je n'arrive pas à croire que Cassis ait pu penser qu'elle souhaitait une autre licorne…

– Je sais. Tu n'as jamais voulu d'autre licorne que moi, j'espère…, répliqua Étoile.

– Je n'en aurais même pas eu l'idée, déclara la fillette. Tu es parfaite ! (Elle se pencha et serra l'encolure de l'animal.) Quoi qu'en dise Estelle, tu es la meilleure licorne du monde, Étoile.

– Et toi, tu es la meilleure Amie des licornes, rétorqua Étoile avec un hennissement de joie.

Elle galopa au-dessus des arbres, de plus en plus vite, de plus en plus haut. Lorène, cheveux au vent, sourit aux étoiles.

Retrouve Lorène
et sa licorne magique
dans
Amies ou ennemies?

Chapitre 1

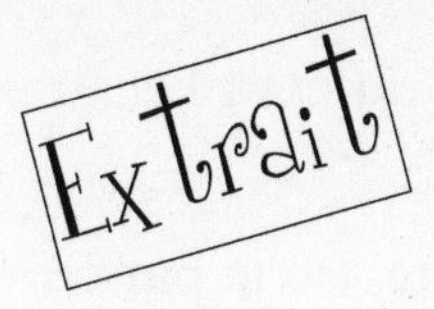

– Tu es prête, Étoile ? chuchota Lorène.

La licorne acquiesça. Puis, se baissant pour effleurer le rocher de quartz avec sa corne, elle lança :

– Camp de la Rivière aux cèdres !

Un nuage pourpre tourbillonna en s'élevant et se dissipa doucement. La surface de la pierre aux cristaux roses et gris se mit à scintiller comme un miroir. Lorène vit alors apparaître l'image d'un centre équestre entouré de grands pâturages. Le bâtiment central, bas et tout en longueur, se dressait près des enclos et de l'écurie, face à trois chalets blancs aux fenêtres fleuries. À la lisière des champs s'étendaient des bois obscurs où une rivière reflétait l'éclat argenté de la lune.

– Wouah ! s'exclama la fillette, ravie par ce qu'elle venait de découvrir.

Elle caressa l'encolure d'Étoile. La plupart du temps, l'animal avait l'apparence d'un poney gris ordinaire, mais quand sa maîtresse prononçait la formule magique, il se transformait en une licorne d'un blanc immaculé. Une créature capable de parler, d'utiliser la magie, et aussi de s'envoler... Elle avait également le pouvoir d'observer ce qui se passait n'importe où, grâce à une pierre de quartz rose.

– C'est là que nous serons demain, murmura Étoile en observant le rocher.

Lorène hocha la tête. Étoile et elle s'apprêtaient à passer six jours au camp. Lucie, sa meilleure amie, y allait aussi, avec son poney Tonnerre.

– Ça va être génial, lança joyeusement Lorène. Nous ferons des concours hippiques, du cross-country, des randonnées en forêt. Sans oublier les feux de camp et les baignades dans la rivière !

– J'ai hâte de rencontrer les autres poneys, dit la licorne.

– Moi aussi, enchaîna Lorène. Et tous les gens que nous ne connaissons pas encore. Je me demande avec qui nous allons partager le chalet, Lucie et moi.

– Tu le sauras dans quelques heures, répliqua Étoile d'un ton réjoui.

Lorène s'éloigna à regret de la pierre magique.

– Rentrons maintenant, décida-t-elle. Demain matin, nous devons nous lever tôt.

Étoile releva la tête. L'image apparue au contact de sa corne s'effaça peu à peu. Lorène se hissa sur le dos tout chaud de l'animal. Les deux amies entamèrent un petit galop et s'élevèrent dans le ciel. Tandis qu'elles filaient entre les arbres, Lorène sentit ses cheveux châtain clair lui fouetter le visage. Elle était tout excitée à l'idée du départ.

« J'espère que ça va me plaire, songeait-elle. Il me tarde d'y être... »

Le lendemain, après avoir quitté la voie rapide, Mme Chaumont s'engagea sur une petite route cahoteuse qui serpentait à travers bois.

– Regardez, les filles ! lança-t-elle alors qu'elles passaient devant un panneau indiquant : *Camp de la Rivière aux cèdres, tout droit !*

– Super ! s'écria Lucie. On arrive !

– J'aurais bien aimé que Jessica soit avec nous, glissa Lorène.

– On lui racontera tout, répondit Lucie.

Leur amie n'avait pas pu les accompagner car elle passait ses vacances en famille.

Lorène, sur le point d'acquiescer, aperçut le reflet de l'eau miroitant entre les arbres.

– Oh, tu as vu ça ! s'exclama-t-elle.

– Je me demande si c'est la Rivière aux cèdres, celle du centre équestre, poursuivit Lucie.

– Oui, répondit Lorène, se souvenant de l'image observée la veille dans le rocher magique. Elle traverse les bois et va jusqu'au camp.

Remarquant le regard surpris de son amie qui ignorait les pouvoirs de son animal, elle ajouta précipitamment :

– Euh… je l'ai vue sur la carte hier soir, en consultant leur site Internet.

– Moi aussi, j'ai regardé leurs pages à l'écran, sourit Lucie. Ils ont plein de photos. En cliquant dessus, je m'imaginais déjà là-bas.

« Oups ! pensa Lorène. Ce n'est pas toujours facile de garder le secret d'Étoile. »

La voiture et la remorque tressautèrent encore un peu sur la piste jusqu'à l'entrée du camp. La barrière de bois était grande ouverte. Comme Mme Chaumont s'engageait dans la propriété, Lorène observa les lieux. Ils lui semblaient bien plus animés que ce qu'elle avait aperçu la nuit précédente. Il y avait maintenant des gens et des poneys partout !

Si toi aussi tu adores
les poneys et la magie,
retrouve Étoile et Lorène
dans d'autres aventures.